JN105413

編著 植田一三　著 中坂あき子　矢島宏紀　上田敏子

ask

プロローグ

日本では2022年から、全国の高校の国語・英語の授業において、カリキュラムに「論理国語」「論理・表現」が加わることになりました。これによって論理的スピーキング・ライティングトレーニングを通して、物事を多面的に捉え、多様な論点や異なる価値観を考慮しながら、論拠を明確に示して自分の意見を述べたり、反論したり、反対者を説得したりするための「クリティカルシンキング力の育成」を重視されるようになりました。とりわけ英語の授業では、グローバル時代に対応するために、実社会や実生活の中の問題から自ら課題を発見し、英語のスピーチ、プレゼンテーション、ディベート、ディスカッションなどを通して、クリティカルシンキング力と表現力をさらに強化することが最重要目標となってきました。

ビジネスの世界でも、数年前からMECE（Mutually Exclusive and Collectively Exhaustive）というタームが「ロジカルシンキングの基本概念」として重要視されています。これは、主張のポイントがオーバーラップせずに、漏れなく強いアーギュメントができているのかのクライテリアとなっており、クリティカルシンキング力はグローバル化が進むビジネス社会で成功するために非常に重要なフレームワークとされています。

そういった中、昔から重視されているのがディベートですが、ディベートのようにきちんと時間を測って、肯定側と否定側に分かれて、片方が一方的に数分話すのを相手はメモを取りながら聞き、それに対して的確に反論するというのは、実際の議論や交渉では稀です。たいていは数十秒間相手の言うことを聞き、それに対して反論することがほとんどです。そして、ジャッジもなく、相手の主張を無視したり、かみ合わないまま、自分の言いたいことだけを述べるケースも多々あります。

そこで本書は、実際にビジネスや政治、日常生活で起こるような議論や交渉を成功させるための指南書として書かれました。そのコツをわかりやすく説明し、その理由を明確にするために、「日本初の画期的なアーギュメントの強さのクライテリア」を設定しました。そして、それに基づく採点方法によって、日本人が苦手な「論理的立論・反論法」を習得しやすくなっています。また論理力だけでなく、エモーショナルアピール力や社会の通念（イーソス）を用いたアピール力、相手を怒らせないマナー（politeness とともに説得する）も視野に入れて、実践で役に立つ「説得の技術力」を伸ばせるように構成されています。

これは私が常日頃から痛感していることですが、英語圏で言う「論理的コミュニケーション（アーギュメント）」の見地から、英語上級者にとって最も難しいのは「日本語で論理的に話し合うこと」です。よく日本語なら論理的に話せると豪語する人がいますが、そういう人に限って論理が乱れています。次に難しいのが「英語で論理的に話し合うこと」で、第 3 に「英語で論理的に書くこと」、そして最後に「日本語で論理的に書くこと」という順に難易度が下がってきます。というのも、英語を話す場合は、異文化ということでできるだけ論理的であろうとしますが、母国語の場合、書くときはある程度気をつけますが、話すときはつい油断してしまい、論理的に話を展開できなくなるからです。

本書は、単に英語の資格検定試験に合格するためだけではなく、社会問題を始めとするさまざまな問題の解決策を出す話し合いなど、多くの場面で不可欠なロジカルスピーキングのスキルを身につけ、言語を問わず論理明快に説得するスピーキングができるようになるための極意が記されています。このアーギュメント能力は、クリティカルシンキング力（判断力・問題解決力）と密接に関連しており、さまざまな分野で成功を収め、人生を生きていく上で極めて重要なスキルですので、本書によってゲーム感覚で身につけていただきたいと思っています。

序章でアーギュメントの極意について説明した後、職業・国籍など任意に選んだ（国籍による bias はない）バックグラウンドの異なる、日本に住む個性的な 8 人のキャラクターによる議論のトーナメントを行っていきます。世界で非常に重要な 21 の社会問題を用いてアーギュメントを行い、その evaluation と解説を通して論理的スピーキングのスキルを習得していただきます。各トピックでは、その背景知識を日本語と英語で Input し、その表現を身につけた後、2 人のアーギュメントの試合をエンジョイしながら、それぞれの主張の何が問題であるかを分析していただきます。それらがわかりやすいように、主張の問題点とスコアを記してありますので参考にしてください。そして最後にアーギュメントの検証と総合得点、およびアーギュメントの極意とキーアイディアをまとめてありますので、じっくりと読んでマスターしてください。

最後に、3年の歳月をかけて完成させた本書の制作にあたり、多大な協力をしてくれたアクエアリーズスタッフの中坂あき子氏（Topics 2, 3, 4, 6, 7, 10, 11, 13, 14, 15, 16）、矢島宏紀氏（Topics 8, 12, 17, 18, 19, 20, 21）、柏本左智氏（Topics 1, 5, 9）、上田トシアーナ氏（全体企画・リライト・コラム・校正）、およびアスク出版編集部の柿倉裕太朗氏、竹田直次郎氏には心から感謝の意を表します。それから何よりも、我々の努力の結晶である著書を愛読してくださる読者の皆さんには、心からお礼を申し上げます。**それでは皆さん、明日に向かって英悟の道を**

***Let's enjoy the process!*（陽は必ず昇る）**

植田一三（Ichy Ueda）

Contents

目次

1 アーギュメントを知る

「対話」を英語でいう場合、まず一般的な語として、**talk**、**communication**、**conversation** が挙げられます。

- **talk**：対話の中で何かを言ったり、**重要なこと**を誰かと話しあったりすること
- **communication**：誰かと**情報を交換**したり対話をしたり、相手にわかるようにはっきりと意見や気持ちを述べたりして**相互理解**ができるようになること
- **conversation**：少人数で行う、**出来事や気持ちを言い合ったりするカジュアルな対話**（これをフォーマルな話し合いにすると dialogue）

この中で最も包括的な **communication** を細分化すると、**chat**、**discussion**、**argument** に分けられます。これらに関して欧米人と日本人では異なる認識を持っていると思われるので、ここで明確にしておきましょう。

- **chat**：些細なことについて**フレンドリーでインフォーマルに話し合う**こと

話題は次々と変わり、1つの問題について掘り下げる必要もありません。「**親睦**」が目的なので、相手に聞かれたことでも嫌なら答えなくてもいいし、イエスかノーのスタンスが変わったり、全然理由になっていないような主張をしたりしても構いません。いわば「**何でもありの話し合い**」です。

- **discussion**：**情報交換や意思決定**のために誰かと話しあうこと、**異なる意見を考慮しながら何かについて詳しく論じる**こと

chat と比べてもう少し真面目で、何らかの結論を出そうと話し合うことですが、たとえ出せなくても問題はありません。また、原則として1つのトピックを掘り下げますが、自分のスタンスが肯定側であっても、相手の意見に説得力がある場合に、“I agree.” や “You are right.” と述べ、スタンスを変えても問題はあ

りません。要するに情報交換や意思決定ができればいいのです。

- **argument**：物事の善悪、真実性、何をすべきかなどについて、**自分の考えや行動を相手に説得するために理由や証拠を挙げること**

discussionと違って、イエス・ノーのスタンスを明確にし、理由を挙げて証明し、それを話し合いの中で変えてはいけないものです。あくまでもスタンスを変えないので、よく反論が激論に発展するものです。まずポイントを述べて、それに説得力を持たせるための関連性の強い効果的なサポート文（特に例証）を続けるという構成、つまり「ポイント陳述 followed by the effective supporting details」のパターンが必要になります。

- **quarrel**：身近な問題でargumentを**丁々発止とやり合うこと**
- **debate**：**社会問題で意思決定のため公的な場で相反する意見を述べあうこと**

このargumentを「身近な問題で丁々発止とやり合う」のが**quarrel**ですが、さらにフォーマルになり、「何らかの社会問題などについて、意思決定のために公的な場で相反する意見を述べあうフォーマルな話し合い」が**debate**です。これはジャッジがいて時間制限のあるものが多くなっています。

2 日本人にとっての論理的発信力の壁を超えるために

そもそも日本人には、argumentが苦手で、自分の主張の効果的なサポートを述べたり、的確な反論をしたりできないという壁があります。それらを乗り越えるために、以下のポイントを見てみましょう。

argumentの仕方 ― 理由を述べない主張は、アーギュメントではない単なる口喧嘩！

chatとdiscussionはできても、argumentができないために、quarrelもdebateも英文writingもできない人が非常に多いようです。そこで、国際社会を生き抜くためには、公で行うdebateの前にまず、日常の話題、社会問題を扱う

argument に強くならなくてはなりません。例えば、親しい人に「君は自分勝手だな」と言われたことに対して「あなたこそ」と答えると単なる「口喧嘩」になってしまいます。それは、相手の主張に対して理由や証拠の説明を要求せずに、自分もそれにつられて理由も述べずに主張だけで相手を叩いてしまっているからです。この場合は、

「そうおっしゃる根拠は何ですか？（What makes you think so?）」

とまず聞いて、その理由を検証したり、

「私は利己主義でありません、なぜならば（I'm not selfish because 〜）」

のように述べていかなければなりません。そして、その理由として、

「私はあなたの言い分を聞いているからです」

と言えば、論理的な反論となります。さらに、

「そういった冷めた口調で反論するのが selfish だと言っているんだ。」

と感情的に攻撃されても、決して挑発に乗らず、

○「相手の主張を聞いたうえで冷静に反論するのと selfish は関連性がありません。」

と述べる必要があります。また、

×「そういうあなたはどうなんですか？　そのような発言をすること自体、あなたこそ selfish な要素が強いのではありませんか。」

などと、**決して相手を叩いてはいけません**。このような冷静なアーギュメントに対して、

△「そういうあなたこそ人の話をすぐに遮って自分の主張だけを述べようとするし、レストランに行くときも自分の好きなものばかり食べに行こうと従わせるし、非常に selfish ですよ。」

のように相手が selfish である理由を述べて反撃すると、相手に理不尽に非難されたことに対する怒りが表れているため、大喧嘩に発展しそうな感情系の **quarrel 系 argument** となります。

サポートの仕方

サポートを述べるのが不得手な人の多さが、英語のライティングやスピーキングが苦手な日本人の多さを物語っています。つまり、ポイントを述べっぱなし

で効果的なサポート（例証・エビデンス）もなく、新たなポイントや新情報がどんどん出てきたりして、非常に論理的説得力に欠ける主張になりがちです。「最初にポイントを述べたら、必ず例証などのサポートを述べる」というのが論理的発信の鉄則です！

反論の仕方

よく、相手の意見に反論するときに、"But ～ " のように、But から始める人がいますが、but ～では相手の主張のポイントは叩けないので、argument では相手の主張に負けを認めて同意したことになります。叩く場合は、You are wrong. / I don't think so. / I disagree. などと言って、そのポイント自体を反証する必要があります。それができずに But ～と言ってしまうと、「返す言葉もなくあなたは全面的に正しい」というメッセージになるので使い方に要注意です。その上、相手はせっかく述べた自分の主張を無視されたような印象を持ってしまうので**マナー違反**でもあります。

反論があまりできないときは、相手が全く正しければ、**You have a point there.**（**そうですね。**）だいぶん認めるなら **You may be right, but ～**（**そうかもしれませんが～**）、もう少し自信があり、あまり認めたくないなら、**There is some truth to it,**（**一理あります。**）と言ってから、**but the fact remains that ～ / but the benefits far outweigh its disadvantages.** と反論していく必要があります。

それではみなさん、以上の点に注意して、本書をじっくり読んで内容をクリティカルにエンジョイしながら論理的発信力を身につけていきましょう。

本書の使い方

本書は、アーギュメントにおける効果的な立論や反論の仕方を学んでいただくために書かれました。8人の個性的なキャラクターによるアーギュメントのトーナメントで「アーギュメントチャンピオン」を決定します。1回戦では4つのトピック、準決勝では2つのトピック、決勝戦では1つのトピックについてアーギュメントを行い、合計点で勝敗を決定します。

各トピックの構成

Step 1 **背景知識を日本語でインプット**

社会問題の現状を把握しましょう。

Step 2 **背景知識を英語でインプットし、さらに問題意識を UP!**

設問を意識しながら英語で背景知識をインプットしましょう。また「○○を議論するための表現力を Check!」ではそのトピックで頻出の表現をマスターしましょう。

Step 3 **ダイアローグ**

それぞれの立場に合った立論や反論ができているかを考えながら読みましょう。

Step 4 **アーギュメントを Judge!**

アーギュメントのよかった点、改善すべき点を審査員の解説で確認しましょう。

Step 5 **トピックのまとめ**

トピックの賛成、反対の強いキーアイディアにはどのような意見があるか、確認しましょう。

アーギュメントの採点方法

立論・反論	**20点**	立場にあった強いポイント
	10点	立場にはあっているが、説得力が弱いポイント
	0点	話がそれている、説得力が皆無なポイント
サポート	**20点**	自分の論にマッチした強いサポート
	10点	論にはあっているが、説得力に欠ける
	0点	論にあったサポートができていない

反論では、別のポイントを述べた場合も同じ採点方式で加算していきます。つまり立論では最高点が40点（ポイント20点＋サポート20点）、反論では別ポイント1つの追加を上限としてその倍になり、最高点が80点となります。また、5点、15点と記されている場合は、その中間的なスコアになっています。さらに、以上の評価に加えて、次の項目について審査員の判断でスコアが加算されます。

rhetoric：比喩や反語など多彩な言い回しで説得を試みる
pathos：感情に訴えかけて説得を試みる
ethos：有名人や専門家の言葉の引用、社会通念や慣習・常識などを使って相手の信頼を得ようとする

全体的に発言数を同じ回数にしてフェアーな評価を試みますが、そのために立論・反論の回数ではバランスを取っていきます。

なお、審査員の格言と叱咤激励の言葉を最後に記し、アーギュメントのコツをつかみやすいように趣向を凝らしました。以上の点を踏まえて最後まで本書を味わいながら、アーギュメントのノウハウを会得してください。それでは明日に向かってargumentの道を

Let's enjoy the process!（**陽は必ず昇る**）

キャラクターのプロフィール

Lina Devi　インド

ボーダーレスな思想を持つ大学文学部哲学科講師

インド有数の大学の哲学科を卒業後、世界各地を歴訪し、そこでインド哲学、易学、アリストテレス哲学などを研究。西洋思想と東洋思想の融合を試みる国境を越えた哲学界の新人。

Kim Yuri　韓国

正確無比かつ公明正大な一流公認会計士

トップスクール卒業後に、韓国とアメリカの公認会計士試験にパスし、大手会計事務所に勤務。世界情勢に明るく、常に公正な立場で鋭い会計監査を行う超一流の公認会計士。

Leon Meyer　ドイツ

サイエンス教育に身を捧げる高校物理学教師

派閥争いに背を向け、大学の研究職を去った後、未来をクリエイトする若者を育てるために、教育の世界に身を置く。サイエンスのすばらしさを日夜、若者に啓発する高校物理学教師の鏡。

Benjamin Laine　フィンランド

動物をこよなく愛する獣医の中の獣医

学生時代から、動物愛護運動家（an animal rights activist）として活躍し、文明社会において自然と人間との調和を目指す。地域社会に愛される獣医であると同時に、フィンランド有数の啓蒙思想家。

Sofia Lim  シンガポール

世界のトップスクールで歴史学・国際関係・ジャーナリズムを研究！

大学で東洋史を専攻し、近代東洋史研究をしながら、在学中にケンブリッジ大学、ハーバート大学などの国際関係やジャーナリズムなどのオンライン講座受講を通して世界情勢の見識を深めているインテリ大学院生。

Mario Rosi スペイン

おもてなし超一流の通訳案内士 & 文化間コミュニケーター

どんな気難しいクライアントも満足させることのできる、人を見る目と幅広い知識、異文化への洞察（cross-cultural awareness）がずば抜けた、訪日観光客人気ナンバーワンのツアーガイド兼通訳案内士。

叡智先見（えいちさきみ）  日本

世界情勢の神秘に光を当てる幻の占い師

政治学、経済学、社会学、心理学などさまざまな学問を大学院で研究すると同時に、西洋占星術、風水、四柱推命などさまざまな占いを総合し、人間関係から世界の紛争、株価予測まで行う天才占い師。

Olivia Brown アメリカ

アメリカを代表する辛口評論家

学生の時からさまざまな異文化体験によって培った、鋭い文化的洞察力と見識によって社会問題にメスを入れ、社会の不公正を是正するために社会問題を風刺した評論が非常に多い “influencer” のひとり。

トーナメント表

First Round Game 1		
	No.	Topic
Kim Yuri VS Lina Devi	1	同性婚法制化の是非を議論！
	2	クローン技術の是非を議論！
	3	代替医療の是非を議論！
	4	安楽死の是非を議論！

First Round Game 2		
	No.	Topic
Leon Meyer VS Benjamin Laine	5	動物実験の是非を議論！
	6	AI の是非を議論！
	7	人種差別撤廃の可能性を議論！
	8	移民規制の是非を議論！

First Round Game 3		
	No.	Topic
Sofia Lim VS Mario Rosi	9	SNS の是非を議論！
	10	宇宙開発の是非を議論！
	11	エコツーリズムの是非を議論！
	12	グローバル化の是非を議論！

First Round Game 4		
	No.	Topic
叡智先見 VS Olivia Brown	13	学校制服の是非を議論！
	14	少年犯罪のメディア公表の是非を議論！
	15	定年退職制の是非を議論！
	16	死刑制度の是非を議論！

Semi-Final Game 1	
No.	Topic
17	大きな政府の是非を議論！
18	消費税増税の是非を議論！

Final	
No.	Topic
21	核抑止の是非を議論！

Semi-Final Game 1	
No.	Topic
19	資本主義の是非を議論！
20	原子力発電の是非を議論！

First Round

Game No.1

VS

TOPIC

1

同性婚法制化の是非を議論！

Do the benefits of the legalization of same-sex marriage outweigh its disadvantages?

2

クローン技術の是非を議論！

Do the benefits of cloning technology outweigh its disadvantages?

3

代替医療の是非を議論！

Do the benefits of alternative medicine outweigh its disadvantages?

4

安楽死の是非を議論！

Should euthanasia be legalized?

TOPIC 1

同性婚法制化の是非を議論！

Do the benefits of the legalization of
same-sex marriage outweigh
its disadvantages?

人権擁護と税負担増懸念の
どちらを優先すべきか？

難易度 ★★★☆
論争度 ★★★★
ジャンル 法制

Step 1 背景知識を日本語でInput！

同性婚（same-sex marriage / gay marriage）は、世界の一部の国で合法（legalized）ですが、まだまだ禁止されている国・地域が多いのが現状です。国際レズビアン・ゲイ協会（the International Lesbian, Gay, Bisexual, Trans and Intersex Association / ILGA）の調査によると、現在70カ国以上の国が同性同士の性行為（sexual intercourse）を違法（illegal）と定めています。また、イエメン（Yemen）、イラン、サウジアラビア、スーダン、ソマリア（Somalia）のように、同性愛者というだけで死刑（capital punishment）が適用される国すらあります。アフリカでは、南アフリカのように同性婚が認められている国は珍しく、54カ国のうち同性愛者同士の性行為を犯罪とする（criminalize same-sex relations）国は33カ国もあります。一方、同性婚が合法とされている国は、2021年現在、世界で29カ国です。

歴史的に見ると、主な禁止の理由としては宗教上の教義と植民地時代（the colonial period）の名残に分けられます。宗教で大きく分類すると、イスラム教ではコーランの中に同性愛をタブー視する記述があり、キリスト教では旧約聖書で創造神ヤハウェが「男と女が結ばれるべきだ」と命令しています。しかし近年では、キリスト教における同性愛の見解はさまざまになっています。仏教圏では、同性愛の記述が奈良時代から残る日本や、性別適合手術（sex reassignment surgery）の技術レベルが高いタイのようにLGBTに寛容な国が多いですが、同性婚についての法整備はまだこれからだと思われます。また、インド、ジャマイカ、カリブ諸国などには、大英帝国植民地時代の反LGBT法（anti-LGBT laws）が残っています。

日本では、東京都渋谷区に続き、東京都世田谷区、北海道札幌市、三重県伊賀市、兵庫県宝塚市、沖縄県那覇市など、120以上の自治体で同性パートナーシップ条例（the same-sex partnership ordinance）が導入されています（2021年現在）。日本各地で同性カップルが結婚式を挙げられる式場が増えてきていたり、男性同士の恋愛ドラマがテレビで放送され、海外でも大きな反響を呼ぶなど、身近なことになりつつあります。

Step 2 ／ 背景知識を英語でInputし、さらに問題意識をUP!

パッセージを読んで、以下の質問について考えてみましょう。
❶ 同性婚は宗教上どのように扱われていますか。
❷ 同性婚の賛成派と反対派はどのような意見を持っていますか。

Arguments for and against **same-sex marriage** have been made according to religious doctrines. In **Islam**, **homosexuality** is strictly forbidden as it is regarded as **a religious sin**. Therefore, gay Muslims have no choice but to keep their **sexual orientation** secret or find shelter as refugees in countries that allow homosexuality. In **Christianity**, there is a passage that prohibits homosexuality in **the Old Testament**, but nowadays, there are diverse opinions about homosexuality.

Those who are against same-sex marriage argue that marriage has long been considered to be an important ritual for **procreation** and the **prosperity of descendants**, and that same-sex couples cannot give birth to their offspring. However, supporters insist that most same-sex couples try to have children through **reproductive medicine** or **adoption**. Now research is underway to realize the conception of a child with the DNA of both same-sex partners.

日本語訳

同性婚の是非に関しては、宗教上の教義に従って議論されてきました。❶**イスラム教**では、**同性愛**は**宗教上の罪**として厳しく禁じられています。したがって、ゲイのイスラム教徒は、自分の**性的指向**を隠し通すか、亡命者として同性愛が認められている国に避難するかという選択肢しかありません。❶**キリスト教**では、**旧約聖書**に同性愛を禁止する記述がありますが、現代ではさまざまな見解があります。

❷結婚は**生殖**と**子孫繁栄**のための重要な儀式であると慣例的に考えられており、同性カップルは自分たちの子どもを持てないと、同性婚反対派の人たちは言います。しかし、支持者たちは、同性カップルのほとんどは**生殖医療**や**養子縁組**によって子どもを持ちたいと思っていると主張します。現在、同性カップル両方の DNA を持つ子どもの受胎を実現させるための研究が進行中です。

「同性婚法制化」を議論するための表現力を check!

- □ **異性カップル** heterosexual couples ⇔ **同性カップル** homosexual (gay) couples
- □ **伝統的な家庭の価値観** traditional family values
- □ **配偶者への健康保険の適用** spouse's health insurance coverage
- □ **配偶者税控除** tax exemption for a spouse
- □ **性的マイノリティ** sexual minorities / LGBTQ
- □ **社会的偏見の撤廃** elimination of social prejudice
- □ **養子縁組** adoption 「養子縁組した子」は an adopted child
- □ **恵まれない孤児** underprivileged orphans
- □ **生みの親** a biological parent 「里親」は a foster parent
- □ **代替家族** alternative family

Step 3 ダイアローグ
Do the benefits of the legalization of same-sex marriage outweigh its disadvantages?

以下のダイアローグでは、2人の意見のポイントは何か、話が**かみ合ってい****るか**、**改善すべき点は何か**、**どちらが強いアーギュメントか**を考えながら読みましょう。

❶ **Devi**

Hi, Ms. Kim. The other day, my colleague held a wedding ceremony. Look at the pictures! There is no bride. They are gay, so both of them are grooms.

❷ **Kim**

They live in a city that allows same-sex partnerships, right? But I'm wondering how their parents feel about their marriage. **If I were in their shoes**, I would definitely try to **dissuade** my son **from** marry**ing** a man.

❸ **Devi**

Why would you oppose a same-sex marriage? They have been recognized in many countries including France and the Netherlands. I think homosexual couples who love each other should have the same basic rights, including the right to marry, just like heterosexual couples. For example, when one partner is hospitalized, the other partner's visit might be rejected by the hospital if they are unrelated. Isn't it discrimination that they can't receive the same benefits as heterosexual couples?

弱いイーソス、強いポイントと強いサポートで45点！

日本語訳　同性婚法制化の是非を議論！

❶ **Devi**

こんにちは、Kim さん。先日、私の同僚が挙式したんです。写真を見てください！　ここに花嫁さんはいないのです。ゲイだから2人とも花婿なんですよ。

❷ **Kim**

同性パートナーシップを認めている都市に住んでいるのですね。でも、ご両親は彼らの結婚についてどう思っているのでしょうか。私が親の立場なら、息子が男性と結婚するのは絶対にやめさせようとします。

❸ **Devi**

どうして同性婚に反対するのですか？　フランスやオランダなど多くの国では認められています。愛し合うカップルは、異性間のカップルと同じように、結婚する権利などの基本的な権利を持つべきだと思います。例えば、パートナーが入院した時に、他人だからという理由で病院で面会を断られることもあるかもしれないでしょう。異性同士のカップルと同じ恩恵を受けられないのは差別的ではないですか？

ダイアローグで英語表現力 *UP!*

□ **If I were in their shoes**（私が彼らの立場なら）

"put oneself in ～ 's shoes" で「(人）の立場になって考える」となる。

□ **dissuade … from ～ing**（…が～するのを思いとどまらせる）

"persuade … to ～"（…が～するよう説得する）の対義語。

❹ Kim

Hmm. I think it **goes against the laws of nature**. I wonder if all their relatives would be shocked. In my opinion, a marital relationship should be basically between a man and a woman. Besides, if you were their parent, would you be willing to accept their marriage?

反論ルール違反だが、イーソスの立論とサポート、ペーソスの立論で20点

❺ Devi

On the contrary, there should be a diversity of couples. They can take this opportunity to convey to their relatives about it. Besides, both of them will take care of a boy as two fathers. They told me that their son's friends and teachers will also be **receptive** to it.

イーソスを使った弱い反論と、強いポイントで25点ゲット！

❻ Kim

Really? Those people may not be understood in my workplace where men are not allowed to take childcare leave even though they are eligible for it.

反論とそのサポートがともに個人の体験に基づき弱いため20点

❹ Kim

うーん、自然の摂理に反していると思います。彼らの親族は皆ショックを受けていないでしょうか。私の意見では、婚姻関係というのは基本的には男女間で結ぶべきだと思います。また、もしあなたが彼らの親なら、結婚を受け入れる覚悟がありますか？

❺ Devi

むしろ、多様なカップルがいて当然だと思います。これを機に、夫婦にはいろいろな形があるって親族の皆さんに伝えられます。それに、2人ともお父さんとして男の子の子育てをするのですよ。息子さんの友達も先生も理解してくれるだろうって話していました。

❻ Kim

本当ですか。私の職場では理解してもらうのは難しいかもしれません。男性は育児休暇を取る資格があっても、取るのを許されない職場ですからね。

ダイアローグで英語表現力 *UP!*

□ **go against the laws of nature**（自然の摂理に反する）

We cannot go against nature.（私たちは自然に逆らえない。）のような表現もある。

□ **receptive**（受容力のある、理解力のある）

a receptive mind（受容力のある精神）のように使う。

❼ Devi

It's not fair. Our company allows same-sex couples to receive employee benefits for families. They can receive not only childcare leave but also **family care leave** to look after the partner, or his or her parents. I hope other companies **follow suit**.

またもや反論とサポートが個人の体験に基づき弱いため20点

❽ Kim

I didn't even know that such receptive companies exist. I'll learn a little more about same-sex marriage, though I'm not ready to accept it. But anyway, give your colleague my best wishes for a happy wedding.

反論できず0点

“私の出身国である韓国では、
LGBTを支える制度の整備が、
日本よりも遅れています。”

❼ Devi

それはフェアじゃないですね。私たちの会社は、同性カップルも家族のための福利厚生を受けられます。育児休暇はもちろん、パートナーや義理の親の介護休暇もとれます。他の企業も後に続くといいと思います。

❽ Kim

そんな理解のある会社があるなんて、想像もしなかったです。私には受け入れがたいけど、同性婚についてもう少し勉強しておきます。ともあれ、同僚の方に、結婚おめでとうと伝えてくださいね。

ダイアローグで英語表現力*UP!*

□ **family care leave**（介護休暇）

maternity leave は「産休」、parental leave は「育児休暇」である。

□ **follow suit**（後に続く、先例に倣う）

suit はトランプの同じ柄のカード１組の意味。follow suit で、「前に出たカードと同じ柄のカードを出す」から「先例に倣う」となった。

Step 4 ／ アーギュメントをJudge!

いかがでしたか？　今回は、Devi が賛成、Kim が反対の立場でした。それでは英悟の超人 Ichy Ueda による講評を見てみましょう。

▶本文 pp. 24 〜、日本語訳 pp. 25 〜

❸ Devi　計45点 ▶▶ 立論20点／サポート20点／イーソス5点

フランスやオランダなどの国で同性婚が認められてきた、というのはイーソス（ethos）を使ったアーギュメントで5点。フランスやオランダの他にも、イギリス、アメリカ、台湾などでも認められているという多くの例を挙げると、社会の慣習に訴える ethos 点は10点となります。その後の「異性婚と同様に結婚する基本的な権利（the same basic rights to marry as heterosexual couples）を同性カップルにも与えるべき」というのは、強いポイントで20点ゲット！「結婚していなければ、パートナーが入院した際に面会を断られるなど、異性婚と同じ恩恵を受けられないのは差別だ」と強いサポートをしているので20点！

❹ Kim　計20点 ▶▶ 立論20点／サポート10点／減点10点

相手の「異性婚と同様の基本的な権利を与えるべき」という主張を無視して、別のポイントへ移行してしまっているので、反論ルール違反で−10点。ここは、Well, there are some truth to it, but …（一理あるが…）と述べてから、次のポイントへ移りましょう。「自然の摂理に反する（it goes against the laws of nature）」というポイントは、ethos に訴えたポイントなので10点。こういった価値論題（ethical issues）のサポートでは、ロゴス（logos）は使えないので、「婚姻関係は基本的に男女間のもの」という ethos を使い（10点）、さらに「あなたが親だったら、反対するでしょう」というペーソス（pathos）に訴えたポイント（10点）も加えて説得しようとしています。

❺ Devi　計25点 ▸▸ 反論5点/立論20点/サポート0点

「自然の摂理に反する」というポイントに対して、「多様なカップル（a diversity of couples）がいて当然だ」は ethos を使った弱い反論で5点。そのサポートはありません。強くするには「標準（norm）になりつつある」などと加える必要があります。「同性婚の親は父親2人として理解してもらえる」は強いポイントなので20点。

❻ Kim　計20点 ▸▸ 反論10点/サポート10点

「周囲に受け入れてもらえる」という相手への反論が、「自分の職場では難しい」という個人的で裏付けに乏しい論（anecdotal evidence）なので、10点。そのサポート部分「男性社員に育休を取る権利はあるものの、実際には取れない」も anecdotal evidence のため、10点となります。アーギュメントでは個人の事例ではなく、社会全体の8割に当てはまる論を展開することが必須です！

❼ Devi　計20点 ▸▸ 反論10点/サポート10点

「自分の職場では同性カップルも家族のための福利厚生、育休、パートナーやパートナーの親の介護休暇も認可されている」とありますが、これも一部の例であって、社会全体にあてはまらない弱い反論（10点）と弱いサポート（10点）になっています。強くするには、社会全体の大多数（the majority of society）にあてはまる意見を述べる必要があります！

❽ Kim　計0点 ▸▸ 反論0点

ここでは、「想像もしなかった」と言っているだけで、反論できていませんので、0点。

“サポートは個人の事例ではなく
社会全体に当てはまる論を
展開させよう！”

Step 5 トピック１のまとめ

いよいよアーギュメントの結果発表です！

「同性婚法制化」の強いキーアイディアはこれだ！

賛成 	① It promotes the fundamental human rights of LGBTs. （LGBT の基本的人権を広めることができる）
	② It contributes to the well-being of underprivileged orphans through their adoption. （恵まれない孤児を養子にすることで、彼らの幸福に貢献する）
	③ It contributes to the elimination of social prejudice and discrimination as a whole. （社会全体の偏見や差別の解消につながる）
反対 	① It imposes an additional financial burden on taxpayers. （納税者にさらなる経済負担を課す）
	② It contributes to a decline in birthrate. （少子化につながる）
	③ It will seriously undermine traditional family values. （伝統的な家族の価値を著しく損なうことになる）

議論のための表現力UP ①「促す・高める」

□ **encourage** ポイント **物事がより高い可能性で起こるように促す**

Space exploration has encouraged technological innovation.
（宇宙探査は技術革新を促してきた）

□ **promote** ポイント **よいものを助長したり、さらに発展させる**

The world's countries have promoted international cooperation in space.
（世界の国々は宇宙での国際協力を促進してきた）

□ **enhance** ポイント **さらに魅力的に、より価値があるものにする**

The U.S. and Russia have enhanced their own reputation in the space field.
（アメリカとロシアは宇宙分野における名声を高めてきた）

□ **stimulate** ポイント **物事が始まったり、さらに発展するようにする**

The subsidy will stimulate the research and development related to space.
（その助成金は宇宙関連の研究と開発を促すだろう）

□ **develop** ポイント **さらに強化・発展させ、よりいいものにする**

Products based on space technology have developed the economy.
（宇宙技術に基づく商品が経済を発展させてきた）

□ **facilitate** ポイント **物事が起きやすいようにする**

The research can facilitate the process of living in other planets.
（その研究は他の惑星に住むプロセスを簡単にするかもしれない）

□ **maximize** ポイント **profit（利益）、potential（可能性）、chance（機会）などと結びつく**

The use of SNS can maximize corporate advertising efficiency.
（SNSの利用は企業の広告効果を最大にすることができる）

★反意語は **minimize**（最小限にする）で、**risk**（リスク）、**damage**（被害）、**problem**（問題）など望ましくない語と結びつく

The SNS providers must minimize the risk of privacy leakage.
（SNSのプロバイダーはプライバシーの漏えいリスクを最小限にしなければならない）

TOPIC 2

クローン技術の是非を議論！

Do the benefits of cloning technology outweigh its disadvantages?

人類にとって救いの神なのか
悪魔のサイエンスか？

難易度 ★★★☆
論争度 ★★★★
ジャンル 科学技術

Step 1 ／ 背景知識を日本語でInput！

生き物のコピーという少し不気味な最先端技術であるクローン（cloning）は、これまで多くの映画の題材にされてきました。いかにもSF的な響きがしますが、クローンは元来、ひとつの生物や細胞から増殖した、同じ遺伝情報（genetic information）を持つ個体同士や生物集団のことです。無性生殖（asexual reproduction）するミドリムシ（euglena）やアメーバ（ameba）、サツマイモやシダ植物（pteridophyte）など自然界にもクローンは存在しています。また挿し木（cutting）は人工的クローンの身近な例です。

クローンが一般に知られるようになったのは、1996年にクローンヒツジの「ドリー（Dolly）」が生まれてからです。ドリーはそれまで困難だとされていた体細胞の核（somatic nucleus）を用いた体細胞クローン技術（somatic cell cloning technology）で初めて作られ、世界的に話題になりました。それまでの受精卵クローン（artificial embryo twinning）とは異なり、体細胞クローン技術は、元の個体のいわば「完全コピー版」を理論上は大量生産（mass production）できるという、まさにSFの世界を実現できる技術です。2018年には中国の研究チームが、世界で初めて霊長類（primate）であるサルの体細胞クローンを誕生させました。これにより、ヒトを含む霊長類のクローンを作る技術が確立しました。

受精卵クローン牛はすでに先進諸国の市場に流通しています。体細胞クローン技術は、優れた特徴を持つ家畜や実験用動物の生産、医薬品の製造、希少種（rare species）の保護・再生手段への利用を目的として研究開発が日進月歩（rapid progress）で進められています。その一方、人間のエゴで動物のコピーを作ることは倫理的・道義的にいかがなものか、さらには人間のコピーまで作ってしまうのではないかという問題もあります。2000年には日本で、クローン人間（human clone）の作製を禁止する「ヒトクローン技術規制法」が公布されましたが、今後も人類にとってよくない事態を防ぐために社会、国家、監視団体、政府は何をするべきかといった国際的な議論が必要になるでしょう。

Step 2 背景知識を英語でInputし、さらに問題意識をUP!

パッセージを読んで、以下の質問について考えてみましょう。
❶ クローン羊のドリーはどのような点で画期的だったのですか。
❷ クローン技術はどのようなことに使われる可能性がありますか。

Cloning is one of the biotechnologies that creates a **genetically identical** copy of an original cell, **tissue**, or **organisms**. There are two types of animal cloning in a laboratory: artificial **embryo** twinning and **somatic cell** cloning. Artificial embryo twinning has been conducted for more than 60 years, while somatic cell cloning took the revolutionary step of creating a cloned sheep named Dolly in 1996.

Cloning technology will contribute to medical advancement, environmental protection, and increased food supply. Moreover, there is the romantic idea of **reviving** ancient extinct creatures such as mammoths and dinosaurs. However, we have to discuss the issue of cloning from the ethical and **legal** points of view, considering its **social implications**.

日本語訳

クローニングとは元の細胞や**組織**、**身体**が**遺伝学的に同じである**コピーを作る生物工学のひとつです。実験室での動物のクローンには**受精卵**クローンと**体細胞**クローンの2種類があります。人工受精卵クローンは60年以上前から行われてきましたが、1996年に作られたクローンヒツジのドリーは、❶初めての体細胞クローンとして画期的な成功を収めました。

❷クローン技術は医学の発展や環境保護、食料確保に貢献します。さらに、マンモスや恐竜といった古代生物を**蘇らせる**かもしれないというロマンチックな可能性も秘めています。しかし、クローン作製については**社会的影響**を鑑みて、倫理的、**法的**見地から考えなければなりません。

「クローン技術」を議論するための表現力をcheck!

- □ **遺伝子操作** gene manipulation 「遺伝情報」は genetic information
- □ **体細胞クローン** a somatic cell clone
- □ **治療目的のクローン技術** therapeutic cloning technology
- □ **食料不足を緩和する** alleviate food shortages
- □ **理想的な家畜や作物を作る** produce desired livestock and crops
- □ **絶滅危惧種を救う** save endangered species 「絶滅種復活」は de-extinction
- □ **ヒト・クローン（クローン人間）の研究** human cloning research
- □ **再生医療** regenerative medicine
- □ **臓器移植** organ transplantation
- □ **不妊に悩む夫婦** infertile couples

Step 3 ダイアローグ
Do the benefits of cloning technology outweigh its disadvantages?

以下のダイアローグでは、2人の意見のポイントは何か、話が**かみ合っているか**、**改善すべき点は何か**、**どちらが強いアーギュメントか**を考えながら読みましょう。

❶ **Kim**

Did you read the newspaper article saying that Chinese scientists have succeeded in cloning monkeys? It is reported that it's the first primate cloning ever for research purposes. I think cloning technology should be promoted because it will contribute to scientific advancement.

強いポイントだがサポートがないので20点

❷ **Devi**

But I think that animal cloning is a kind of blasphemy. Cloning violates the sanctity of life by creating copies of original animals. Individual life is valuable **all the more for** its scarcity, I think.

反論はないが別のポイント2つで10点

❸ **Kim**

But therapeutic cloning technology will save precious lives. For example, it can realize organ transplants without rejection because the organs are made from patients' stem cells by using somatic cell cloning technology.

反論はないが別のポイントとサポートで30点

日本語訳　クローン技術の是非を議論！

❶ **Kim**

中国の科学者がサルのクローンを作るのに成功したという新聞記事を読みましたか？　研究用クローンでは霊長類初だそうです。クローン技術は科学の発展につながるから、もっと進めていくのがよいと思います。

❷ **Devi**

でも私は、動物のクローンは神への冒涜だと思います。人工クローンで元の動物のコピーを作るなんて命の尊厳を踏みにじっています。命というものはひとつしかないからこそ価値があるのです。

❸ **Kim**

でも、治療型クローン技術は貴重な命を救います。例えば、拒絶反応のない臓器移植もできるようになります。体細胞クローン技術を使って患者自身の幹細胞から臓器を作るからなんです。

ダイアローグで英語表現力 *UP!*

□ **all the more for**（～だからいっそう）

for は～だからという意味。all は強調。ここでの the は、それだけ、ますますという意味の副詞。more に the がつくことでその程度を特定することになる。つまり、for 以下の理由の分だけより多く、という意味。all the better for もある。

❹ **Devi**

I'm afraid that human clones could be made someday in the future. Cloning entire human beings will cause social problems. For example, it is difficult to deal with the problem of abuse or violation of cloned humans' rights.

反論できていないが別のポイントとサポートがあるので20点

❺ **Kim**

Don't worry. Legislation to ban human reproductive cloning is being introduced in many countries. Cloning animals will also help **alleviate** food shortages. Desired livestock can be produced efficiently from test tubes without a huge farm.

反論してから別ポイントを述べ、サポートもしているので60点

❻ **Devi**

How about the safety of that "food"? There would be little diversity among livestock, and that may pose risks both to humans and livestock. Since cloned meat has such a short history, no one can tell what may happen after long-term consumption.

反論をしてそのサポートもしているので40点

❼ **Kim**

Well, what do you think about saving endangered species? Cloning technology can increase the number of such species.

反論もなく語彙の選択ミスで論点が乱れているので0点

❹ Devi

私はいずれ人間のクローンが作られる日がくるのではないかって心配になります。全人類をクローンで作製したら社会問題になりますよ。例えば、悪用やクローン人間の人権侵害の問題に対処することは難しいです。

❺ Kim

それは心配要りません。ヒトクローン作製を禁止する法律が多くの国で導入されているからです。動物のクローンは食料不足の解消にもなります。広い牧場がなくても、思い通りの家畜が試験管で効率よく作れるんです。

❻ Devi

そんな「食料」の安全性はどうなのでしょう？　同じような家畜ばかり作られるでしょうし、人間にも家畜にもリスクがあるかもしれません。クローンのお肉は歴史が浅いから、長期間食べていたらどうなるかは誰にもわかりません。

❼ Kim

では、絶滅危惧種を救うことについてはどう思いますか？　クローン技術でその数を増やすことができます。

ダイアローグで英語表現力 UP!

□ **alleviate**（和らげる）

貧困や苦しみなど、社会問題の深刻さを軽減するという意味。alleviate pain（痛みを緩和する）alleviate poverty（貧困を軽減する）alleviate suffering（苦しみを和らげる）など。

❽ **Devi**

Still, those identical genetic animals may not be able to survive or reproduce. In that case, humans would have to keep producing cloned animals to maintain the number. That's ridiculous!

強い反論と弱いサポートで25点

❾ **Kim**

You seem totally against cloning, but that technology can revive your lovely **deceased** pet by using original cells. You wouldn't have to miss it any more.

反論なしで、ペーソスへの訴えを試みた弱い立論とサポートで10点

❿ **Devi**

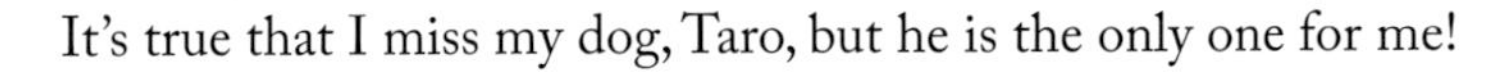

It's true that I miss my dog, Taro, but he is the only one for me!

ペーソスに訴えた弱い反論で10点

“私の出身国である韓国では、
クローンペットの作製が
ビジネスとして展開されています。”

❽ Devi

でも、そんなコピー動物は生き延びて子孫を残せないかもしれません。もしそうなったら、数を保つために人間がクローンを作り続けないといけなくなりますね。そんなのはばかげています！

❾ Kim

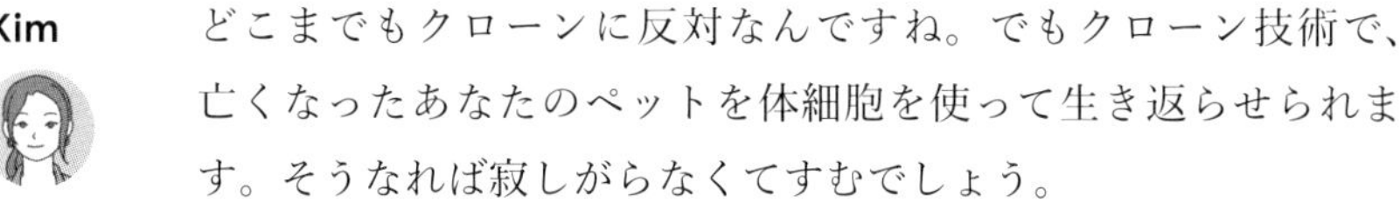

どこまでもクローンに反対なんですね。でもクローン技術で、亡くなったあなたのペットを体細胞を使って生き返らせられます。そうなれば寂しがらなくてすむでしょう。

❿ Devi

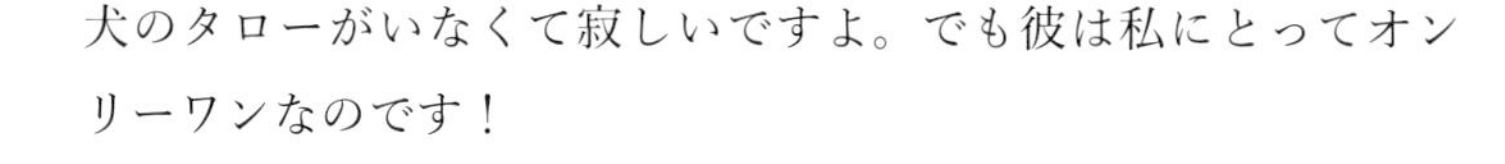

犬のタローがいなくて寂しいですよ。でも彼は私にとってオンリーワンなのです！

ダイアローグで英語表現力*UP!*

□ **deceased**（亡くなった）

died よりも正式な表現。ラテン語 de- 離れて、ced- 行くが語源。人だけではなく a deceased estate（遺産）、a deceased company（倒産した会社）など物にも使える。

Step 4 / アーギュメントをJudge!

いかがでしたか？　今回は、Kim が賛成、Devi が反対の立場でした。それでは英悟の超人 Ichy Ueda による講評を見てみましょう。

▶ 本文 pp. 38 〜、日本語訳 pp. 39 〜

❶ Kim　計20点 ▸▸ 立論20点/サポート0点

新聞記事をきっかけに「クローン技術は科学の発展に繋がる」という強いキーアイデアを用いて賛成の立場をはっきりさせているので立論点20点をゲット！

❷ Devi　計10点 ▸▸ 立論20点/サポート0点/減点10点

Kim の、科学の発展に繋がるという意見に対しては but のみで反論していないので−10点。この場合、You may be right, but...（それは正しいかもしれないけれども）などと言って相手の意見に応答するのがマナーでしょう。しかし、神の冒涜（blasphemy）という宗教的な別ポイントを出しているので10点。さらに “life is valuable all the more for its scarcity”（命はひとつしかないから価値がある）は、神とは関係がない別の倫理的なポイントなので10点。

❸ Kim　計30点 ▸▸ 立論20点/サポート20点/減点10点

こちらも Devi の、生命の尊厳に関する意見に対して反論していないので−10点。この場合も There is some truth to it but…（一理はあるけれども）などと言って相手の意見に応答するのがマナーでしょう。しかし、クローン技術で生命を救うという実利的な強いポイントを挙げているので20点。さらに “realize organ transplants without rejection”（拒絶反応のない臓器移植を実現する）というポイントに沿った強いサポートとそれの詳しい説明も加えているので20点獲得！

❹ **Devi　計20点 ▸▸ 立論10点/サポート20点/減点10点**

Kimの生命を救うという意見が強すぎて反論できていないので−10点。ここでもやはり、突然次の意見を言わずにYou have a point there, but…（確かにそうだけど…）など相手の意見に対する受け答えをしましょう。次のポイントでは、entire human beings（全人類）をクローンにするという極論になっているので10点。その論を悪用やクローン人間の人権侵害の問題という具体例を挙げてサポートしているので20点ゲット！

❺ **Kim　計60点 ▸▸ 反論20点/立論20点/サポート20点**

まず、Deviの言ったヒトクローンに対して、Legislation to ban human reproductive cloning（ヒトクローン禁止の法律）があることを挙げて反論しているので20点。その上で食料不足の解消になるという強い別ポイントを述べているので20点。さらに広い農場が不要だというしっかりしたサポートもできているので20点獲得！

❻ **Devi　計40点 ▸▸ 反論20点/サポート20点**

Kimの言った家畜に関して、安全性に問題があるかもしれないという強い反論をしているので20点。さらに多様性がなくなり、歴史も浅いので家畜と人に対する将来的なリスクがわからないという、具体例を示してサポートしているので20点ゲット！

❼ **Kim　計0点 ▸▸ 立論0点/サポート10点/減点10点**

まず、Deviの言ったことに反論していないので−10点。絶滅危惧種を救うというポイントは説得力があるのですが、次の文にあるincrease the number of such speciesのsuch speciesはendangered speciesを指します。つまり一見正しいようですが、厳密には「絶滅危惧種を増やす」という意味になり、サポートで正反対のことを述べていることになります。サポート点は語彙の選択ミスで論点が乱れたので10点となります。

❽ Devi　計25点 ▸▸ 反論20点/サポート5点

Kimの絶滅危惧種を救うという意見に対して、コピー動物は生き延びて子孫を残せないかもしれないと強い反論をしているので20点。しかしそのサポートは「クローン技術を乱用する可能性」という別のポイントを示唆していており、論点とサポートがミスマッチのため5点。

❾ Kim　計10点 ▸▸ 立論10点/サポート10点/減点10点

相手の「コピー動物はsurviveできない」に反論していないので、ルール違反で－10点。次に「亡くなったペットを蘇らせられる」というのは、Deviの心情に強く訴えようとしています。そして､それをサポートする部分も同様です。しかし、その“pathos”に相手の心が動いていないので弱く、それぞれ10点の計20点。

❿ Devi　計10点 ▸▸ 反論10点

ここはポイントがなく､「自分のペットはクローンで代替がきかない」という個人的な感情論で相手の心情に訴えて反論しているので、ペーソス点10点です。

“ペーソスで説得する場合は
相手の心情に強く訴える
ものを使おう！”

Step 5 トピック２のまとめ

いよいよアーギュメントの結果発表です！

Devi
反対
105点

「クローン技術」の強いキーアイディアはこれだ！

賛成 	① Therapeutic cloning technology can save human lives. （治療型クローン技術は人命を救うことができる）
	② It can alleviate global food shortages. （世界的な食料不足を解消することができる）
	③ It can save endangered species from extinction. （絶滅危惧種を救うことができる）
反対 	① It violates the sanctity of life. （生命の尊厳を冒涜することになる）
	② Human reproductive cloning is subject to misuse and abuse. （ヒトクローンの乱用や悪用の可能性がある）
	③ It undermines biological diversity. （生物の多様性が損なわれる）

TOPIC 3

代替医療の是非を議論！

Do the benefits of alternative medicine outweigh its disadvantages?

医学の救世主なのか
まやかしの医療手段なのか？

難易度 ★★★☆
論争度 ★★☆☆
ジャンル 医学

Step 1 ／ 背景知識を日本語でInput！

忙しい日々の中で身体の不調を感じるけれど病院に行くほどでもない時、健康サプリや、マッサージなどを試す方も多いでしょう。これらは補完代替医療（Complementary and Alternative Medicine / CAM）と呼ばれ、現代西洋医学以外の補助的な医療行為と位置付けられています。主なものに、漢方薬（Chinese medicine）、鍼灸（acupuncture and moxibustion）、アーユルベーダ（Āyurveda）、ユナニ医学（Yunani）、ホメオパシー（homeopathy）、薬理学的・生物学的療法、ライフスタイルを改善させる食事療法、朝鮮ニンジンなどを使ったハーブ医学、用手療法といわれる指圧（shiatsu / digital compression）やカイロプラクティック（chiropractic）などが挙げられます。この他にもヨガ（yoga）、アロマセラピー（aromatherapy）、音楽療法（music therapy）など、枚挙にいとまがありません。

現代西洋医学は患者の心と身体を別々に扱う心身二元論（mind-body dualism）に基づくもので、特定の部位に働きかける「病気治療」が主な役割です。これに対して代替医療は、漢方がそうであるように、身体全体を見て治療するアプローチ（a holistic approach）です。これは病気になる前、つまり「未病（pre-symptomatic state）」と呼ばれる時期に体質改善で病気を防ぐ「予防医学（preventive medicine）」の役割を果たすだけでなく、「予後・終末期」でも効果を発揮します。最近では、両者の長所を活かして患者の生活の質（quality of life）を向上させようという取り組みが始まっています。2010年には厚生労働省が、統合医療（integrative medicine）プロジェクトチームを発足させました。アメリカでは国立補完統合衛生センター（the National Center for Complementary and Integrative Health）でその分野の研究・調査が進められ、古くて新しい代替医療が世界的にも見直されています。

その一方で、エビデンスが少ない代替医療は玉石混淆（a mixture of wheat and chaff）で、中にはアヤシイものも混ざっていることも考慮しなくてはなりません。健康志向（health-conscious）が高まり、ますます注目される代替医療をめぐり、その有効性（efficiency）とリスクを天秤にかけ十分に議論する必要がありそうです。

Step 2 ／ 背景知識を英語でInputし、さらに問題意識をUP!

パッセージを読んで、以下の質問について考えてみましょう。
❶ 補完代替医療の治療方法の特徴はどのようなものですか。
❷ 最近注目されている補完代替医療の役割は何ですか。

Complementary and **Alternative** Medicine (CAM) refers to medical products and practices that are not part of Western medicine. CAM therapies include herbs, nutritional products, yoga, and other complementary holistic approaches such as traditional Chinese medicine and homeopathy*. CAM treats the whole person by **drawing out** or enhancing the natural healing power of humans, while Western medicine treats not the patient but the disease with evidence-based medicine, which has been scientifically **proven methods**.

As a supplement for Western medicine, CAM has been attracting a lot of attention and has been recognized by an increasing number of people around the world over the past decade. However, there are difficulties in evaluating the safety and efficacy of CAM.

日本語訳

補完代替医療とは西洋医学以外の医薬品や医療行為のことです。補完代替医療には、ハーブや栄養食品、ヨガ、それに漢方やホメオパシー*などの補助的で総合的なアプローチをするものがあります。❶補完代替医療は人間の持つ自然治癒力を**引き出す**、あるいは高めることで身体全体を治療します。その一方、西洋医学は科学的に**証明された方法**であり、根拠に基づいた医療で、患者本人ではなく病気を治療します。

❷西洋医学を補うものとして、補完代替医療はここ10年間で世界中のますます多くの人から注目を浴びています。しかし、補完代替医療はその有効性や安全性を評価するのが難しいところがあります。

*homeopathy: 症状を起こすものを希釈して投与するという「同種療法」によって症状を出し切ることが、自己治癒力につながるという考え方です。

「代替医療」を議論するための表現力を *check!*

- □ **代替補完医学** alternative and complementary medicine
- □ **総合治療** holistic treatment
- □ **人間の自然治癒力を高める** enhance humans' natural healing power
- □ **副作用が少ない** have fewer side effects
- □ **予防医学** preventive medicine
- □ **政府の医療費負担を減らす** reduce government health care costs
- □ **命にかかわる病気や怪我** life-threatening illnesses and injuries
- □ **医療の質が低い** provide lower-quality medical treatment
- □ **健康保険でまかなえない** (be) not covered by health insurance
- □ **科学的に証明されていない** (be) not scientifically proven
- □ **鍼灸** acupuncture and moxibustion
- □ **心理療法** psychotherapy　食事療法は alimentary therapy

Step 3　ダイアローグ
Do the benefits of alternative medicine outweigh its disadvantages?

以下のダイアローグでは、2人の意見のポイントは何か、話が**かみ合っているか**、**改善すべき点は何か**、**どちらが強いアーギュメントか**を考えながら読みましょう。

❶ **Kim**

Today I joined a yoga class at the gym I usually go to. I heard that yoga helps cure mental illness, and even diabetes. But I'm afraid that such alternative medicine is not as effective as Western medicine because it is not scientifically proven.

弱いポイント2つと立論とサポートなしで10点

❷ **Devi**

I don't think so. An increasing number of people are turning to alternative medicine when Western medicine can't provide an effective cure. For example, alternative medicine will respond effectively to **psychosomatic diseases**, and provide cancer treatment as complementary medicine.

少し弱い反論だがサポートはよいので35点

❸ **Kim**

But alternative medicine can't become a specific treatment for serious diseases or injuries. Besides, the general standard of alternative **medical practitioners** is low when there is almost no clear certification for alternative medicine unlike Western medicine.

強い反論と強い別ポイント、少なめサポートで50点

日本語訳 | 代替医療の是非を議論！

❶ Kim

今日はいつも通っているジムのヨガクラスに参加しました。ヨガは精神疾患の治療に役に立ち、糖尿病さえ治せるって聞きました。でも私は、そんな代替医療は科学的に証明されていないから西洋医学ほど効果がないと思います。

❷ Devi

私はそうは思いません。西洋医学では効果的な治療法がない時に代替医療を利用する人が増えています。例えば、代替医療は心身症に効果的であったり、補助医療としてがんの治療をするのです。

❸ Kim

でも代替医療は命にかかわるような病気やけがの治療はできないでしょう。それに代替医療の施術者には西洋医学みたいにはっきりした資格がないことが多いので、質が低いかもしれません。

ダイアローグで英語表現力 *UP!*

□ **psychosomatic diseases**（心身症）

psycho-、psych- はギリシア語由来で「精神」「心理」の意。somatic は身体。psychology（心理学）psychiatrist（精神科医）psychotherapy（精神療法）などがある。

□ **medical practitioner**（医療従事者、医師）

practitioner は「開業者」「専門家」「実践している人」の意。a legal practitioner（弁護士）a general practitioner（総合診療医）a judo practitioner（柔道家）のように使う。

❹ Devi

Even without certifications, traditional medicine such as Chinese medicine and yoga has shown its effectiveness over centuries. Furthermore, alternative medicine has fewer **side effects** than Western medicine because it uses natural substances.

強い反論、強い別ポイントと弱いサポートで50点

❺ Kim

That may be true of some alternative medicines, but other numerous kinds are mixtures of wheat and chaff. Moreover, it often costs a lot because it is not **covered** by national health insurance.

軽い反論と軽いサポート、強い別ポイントとしっかりサポートで60点

❻ Devi

Speaking of national health insurance, alternative medicine will reduce national health care costs. Furthermore, it will enhance an individual's natural healing power and improve their physical conditions, so it will lead to a decrease in the number of sick people by working as preventive medicine.

反論なしだが、別ポイント2つとサポート1つで50点

❼ Kim

I think that it is still difficult for ordinary people to tell the good from the bad. Actually some people are heavily dependent on alternative medicine and often suffer from poor health conditions.

反論なしで、ポイントとサポートが弱いので－5点

❽ Devi

Nowadays, people can get useful information about alternative medicine on the Internet, you know. By the way, I'm thinking of joining your yoga class to stay in good shape.

反論がなく、漠然とした意見なので5点

❹ Devi

たとえ資格がなかったとしても、漢方やヨガなど伝統のあるものは長い間その効果が示されてきたでしょう。それに代替医療は天然素材を使うので、西洋医学よりも副作用が少ないです。

❺ Kim

中にはそういうものもあるかもしれないけど、他の多くは玉石混淆です。しかも国民健康保険が適用されないから、とても高価なものが多いです。

❻ Devi

国民健康保険と言えば、代替医療は国の医療費を削減できます。それに、代替医療は人間が持つ自然治癒力を高めて体質を改善できるから、病気になる人を減らすのです。予防医学の役割というわけですね。

❼ Kim

でもやっぱり一般の人にはよいものと悪いものを見極めるのは難しいと思います。実際、代替医療に頼りすぎて体調を悪くしてしまった人もいます。

❽ Devi

最近では役に立つ代替医療の情報はネットで得られるものです。ところで、私も健康維持のためにヨガのクラスに入ろうかしら。

ダイアローグで英語表現力 *UP!*

☐ **side effects**（副作用）

悪い意味だけではなく、nice side effects（思わぬよい結果）など、思いがけない結果にも使える。

☐ **cover**（適用される）

cover は広い意味で「覆う」。そこから「〜にわたる」「含む」「扱う」と意味が展開する。本文の場合、「代替医療が健康保険に含まれていない」の意味。The newspaper **covers** that car accident.（その新聞はあの自動車事故のニュースを報道している。）

Step 4 アーギュメントをJudge!

いかがでしたか？　今回は、Devi が賛成、Kim が反対の立場でした。それでは英悟の超人 Ichy Ueda による講評を見てみましょう。

▶ 本文 pp. 52 ～、日本語訳 pp. 53 ～

❶ Kim　計 10 点 ▶▶ 立論 10 点 / サポート 0 点

「西洋医学より効果が弱い」というひとつ目のポイントは、西洋医学との比較がトピックの核心から外れています。西洋医学より劣っていても benefit があれば弱い主張となり、また「即効性がない」などのサポートもないので 5 点。次のポイント「科学的に証明されていない」は別ポイントにもかかわらず、ひとつ目の理由になってしまっていることが不適切です。さらに、鍼灸のように証明されているものもあるので、generally を加える必要があります。立論として 5 点で、サポートはないので加点なしです。

❷ Devi　計 35 点 ▶▶ 反論 15 点 / サポート 20 点

ひとつ目の（少しそれた）ポイントに対して「代替医療が補完する」と反論していますが、より多くの人が頼っているという言い方は少し弱いので 15 点。しかしサポートはいいので 20 点。ここでは例えば “Alternative medicine is highly effective as holistic medicine.”（代替医療はホリステック医療としてとても効果的だ。）のように言うと強い反論になります。

❸ Kim　計 50 点 ▶▶ 反論 20 点 / 立論 20 点 / サポート 10 点

深刻な病気には有効ではないと言って反論しているので 20 点（サポートなし）。また、代替医療の水準が低いという別ポイントを述べているので 20 点。さらに、西洋医学のような資格制度がないと少しサポートしているので 10 点！

❹ Devi　計 50 点 ▸▸ 反論 20 点 / 立論 20 点 / サポート 10 点

「資格制度がなくても、長い間その効果が示されてきた」と強い反論をしているので 20 点（サポートなし）。さらに、副作用が少ないという別ポイントがあるので 20 点。しかしそのサポートは「自然素材を使っているから」という部分のみで弱いので 10 点です。

❺ Kim　計 60 点 ▸▸ 反論 10 点 / 立論 20 点 / サポート 30 点

「それはものによる」と軽く反論し（10 点）、代替医療にはよいものも悪いものもあると軽くサポートしている（10 点）ので計 20 点。次に述べているお金がかかるという別ポイントは 20 点。さらに、健康保険が適用されない、という客観的事実でしっかりとサポートしているので 20 点！

❻ Devi　計 50 点 ▸▸ 立論 40 点 / サポート 20 点 / 減点 10 点

Kim の意見は強くて反論できずー10 点。ここでは例えば、"Some alternative medicine such as Chinese medicine is covered by national health insurance in Japan."（漢方薬のように日本で健康保険が適用されている代替医療もある。）と具体例を出して反論することができます。次に、国の医療費を削減するという強いポイントを述べているので 20 点（サポートなし）。そして「自然治癒力を高める」という強い別ポイントがあるので 20 点。さらに予防医学の例を挙げてサポートしているので 20 点！

❼ Kim　計ー5 点 ▸▸ 立論 0 点 / サポート 5 点 / 減点 10 点

善悪の判断が難しいと言っているだけで反論がないのでー10 点。また、some people 以下は、"Alternative medicine has damaging effects on the body." という意図だと思われますが弱く、そのサポートも弱いので、5 点。

❽ Devi　計5点 ▶▶ 反論5点/サポート0点

「インターネットで情報が得られる」というだけでは漠然としているので、反論としては5点。

“ 相手の主張にピンポイントで反論しよう！ ”

Step 5 トピック３のまとめ

いよいよアーギュメントの結果発表です！

  賛成	① It compensates for the weakness of Western medicine. （西洋医学の弱点を補う）
	② It has fewer side effects than Western medicine. （西洋医学に比べて、副作用が少ない）
	③ It will reduce government healthcare costs. （政府の医療費を削減できる）
 反対	① It is less reliable than Western medicine because of lack of scientific evidence. （科学的根拠が不足しているため、西洋医学に比べて信頼性が低い）
	② It is far more time-consuming than Western medicine. （西洋医学に比べてはるかに時間がかかる）
	③ It is more expensive due to lack of coverage by national health insurance. （国民健康保険の適用を受けられないため、費用が高い）

TOPIC 4

安楽死の是非を議論！

Should euthanasia be legalized?

人類を苦しみから救うのか
新たな障害をもたらすのか？

難易度 ★★★★
論争度 ★★★★
ジャンル 医学

Step 1 背景知識を日本語でInput！

もしあなたが不治の病（a fatal disease）に侵され、日々耐え難い痛み（excruciating pain）にさいなまれたら、安楽死（euthanasia）を選びますか？あるいは、あなたの家族が苦痛に耐えきれず、「早く楽にしてほしい」と言ったらどうしますか？

安楽死とは、回復の見込めない患者を、苦痛の少ない方法で人為的に死なせることです。医療の場面では、積極的安楽死（active euthanasia）、消極的安楽死（passive euthanasia）、間接的安楽死（indirect euthanasia）があります。

積極的安楽死は、致死薬（lethal medicine）の投与など、積極的に死に導く措置を取ること。消極的安楽死は、生命維持装置（a life-support system）などでの延命治療を中止すること、つまり何も治療せずに患者の自然な死を早めること。間接的安楽死は、鎮痛薬で苦痛を和らげる緩和ケア（palliative care）のみの「治療」をすることを意味します。これは結果的に死期を早める可能性はありますが、苦しみの緩和を主要な目的としていて、終末期鎮静とも呼ばれています。

オランダ、ベルギー、ルクセンブルグ、スペイン、オーストラリアのビクトリア州では積極的安楽死が、スイスやアメリカのワシントン、オレゴン、モンタナ、バーモントなどの州では自殺ほう助が合法化（legalized）されています。スイスには外国人も登録できる「ディグニタス（Dignitas）」などの、医師による厳格な審査の下で自殺ほう助を行う非営利団体があります。この団体では安楽死のために約7,000ドル（約75万円）が必要ですが、世界60カ国からの登録者がいると言われています。

医学の発展に伴い、患者を救うべき医療が、反対に患者を苦しめる状況が発生しています。そのため、患者本人に延命治療を拒否する権利を与えるべきだという考えが生まれました。実際、末期医療（terminal care）で苦しむ患者に頼まれた医師が致死薬を投与し、殺人罪に問われる事件が起きています。そのたびに個人の死生観（one's view of life and death）を尊重することと法律を守ることの板挟みに陥ります。日本では約7割の人が安楽死に賛成していると言われており、欧米では合法化への動きがみられます。しかし、倫理的な側面や残された者への影響など、まだまだ問題が山積しています。

Step 2 背景知識を英語でInputし、さらに問題意識をUP!

パッセージを読んで、以下の質問について考えてみましょう。
❶ 安楽死合法化の動きはなぜ起きたのでしょうか。
❷ どのような点が安楽死合法化の議論をよぶのでしょうか。

Euthanasia, or mercy killing is an act of deliberately ending a person's life to relieve physical or mental suffering. With remarkable medical progress, highly advanced life-prolonging treatment can **ironically** make patients suffer more because it is often difficult for them to have a natural death.

This situation has led to the movement toward the **legalization** of euthanasia in many countries. In 2001, the Netherlands became the first country in the world to legalize euthanasia, followed by other countries such as Belgium, Luxembourg, and Canada.

The legalization of euthanasia is a most controversial issue because it is related to **religion**, ethics, and ethnic causes.

日本語訳

安楽死は患者を肉体的、あるいは精神的苦痛から解放するために故意に命を終わらせることです。❶目覚ましい医学の発展による高度な延命治療が自然死を選べなくしてしまい、**皮肉なことに**患者をさらに苦しめています。

このような状況から、多くの国では安楽死**合法化**の動きがみられます。オランダでは2001年に世界で初めて安楽死が合法化され、続いてベルギー、ルクセンブルグ、カナダで合法化されました。

安楽死合法化は❷**宗教**や倫理、そして民族的な問題に関連しているので非常に物議を醸す問題となっています。

「安楽死」を議論するための表現力を check!

- □ **安楽死させる** give euthanasia / mercy killing 「致死量の注射をする」は give a lethal injection
- □ **自己決定権を重要視する** emphasize the right of self-determination
- □ **積極的安楽死** active euthanasia ⇔ **消極的安楽死** passive euthanasia
- □ **尊厳死** death with dignity
- □ **延命治療** life-sustaining / life-prolonging treatment 「延命装置」は a life-support system
- □ **末期がん患者** terminal cancer patients 「瀕死の患者」は moribund patients
- □ **末期医療** terminal / hospice care
- □ **激しい苦しみをなくす** eliminate excruciating / agonizing pain
- □ **不治の病と難病** incurable and intractable diseases 「苦痛緩和医療」は palliative care
- □ **医師に多大な精神的負担をかける** make a great mental burden on physicians
- □ **医師による自殺幇助** a physician-assisted suicide
- □ **政府の医療費削減** reduction in government health-care costs

Step 3 ダイアローグ
Should euthanasia be legalized?

以下のダイアローグでは、2人の意見のポイントは何か、話が**かみ合っているか**、**改善すべき点は何か**、**どちらが強いアーギュメントか**を考えながら読みましょう。

❶ **Kim**

I've just finished reading fiction with the theme of euthanasia. A doctor was asked for mercy killing by a terminal cancer patient and his family to relieve his **excruciating pain**. The book made me think that euthanasia should be legalized.

エピソード的に述べたポイントとサポートで20点

❷ **Devi**

That's a serious topic. I am against the legalization of euthanasia because it runs counter to medical ethics. Doctors should save people's lives, not kill them.

イーソスによる反論と強いサポートで30点

❸ **Kim**

I know. The doctor in the book **struggles with** that dilemma, and I think that the legalization of euthanasia will liberate doctors. Without legalization, doctors will be accused of murder if they euthanize someone because of pressure from their patients or their family members.

反論できていないが、強いポイントとしっかりサポートで30点

日本語訳　安楽死の是非を議論！

❶ **Kim**

安楽死をテーマにした小説を読み終わりました。凄まじい痛みから解放されたくて末期がん患者とその家族がドクターに安楽死を頼むのですが、これを読んで安楽死は合法化されるべきだなと思いました。

❷ **Devi**

それは重い話ですね。私は安楽死合法化に反対です。医療倫理に反しているでしょう。ドクターというものは人の命を奪うのではなく救うべきです。

❸ **Kim**

わかっています。その本に出てくるドクターもそのジレンマに苦しむのです。そして、安楽死が合法化されたらドクターはその苦しみがなくなると思います。合法化されていないまま、患者や家族に懇願されて安楽死させたら殺人罪に問われてしまうでしょう。

ダイアローグで英語表現力 *UP!*

□ **excruciating pain**（耐え難い痛み）

cruc- はラテン語が語源で十字架の意。類語は agonizing, torturing, harrowing がある。いずれも pain と結びつきやすい。

□ **struggle with 〜**（〜に苦労して取り組む）

「困難なこと」が後に続く。struggle with disease（病気と闘う）、struggle with adversity（逆境と闘う）など。

❹ Devi

But even if it is legalized, I think that it will still **impose a** great mental **burden on** doctors. Who wants to make such a tough decision? What if some problem occurs between the doctors and the bereaved families?

反論なしだが、強いポイントとイマイチのサポートで20点

❺ Kim

That might be difficult, but it's so cruel to leave patients in agony **as if it were** a kind of torture. I believe that everyone has the right to death with dignity.

反論なし、2つの別ポイントはよいがサポートはないので40点

❻ Devi

A patient's right to die means a doctor's duty to kill. It is unethical. I'm afraid that euthanasia may discourage advancement in medicine including treatment for incurable diseases and terminal care.

わかりにくい反論だが、強い別ポイントとしっかりサポートで50点

❼ Kim

From the perspective of medical development, euthanasia will reduce the government health care costs, and therefore allows more money for the treatment of curable diseases.

反論なしで、別ポイントは強いがもう1つのポイントは弱いので20点

❹ Devi

でも、合法化されてもドクターにはとても重い精神的負担がかかると思います。そんな大変な決断を誰がするのですか？　もしドクターと遺族との間にトラブルが起きたらどうするのですか？

❺ Kim

それは難しいかもしれません。でも患者を激しい苦痛にさらしておくことは、拷問みたいに残酷です。私は誰しも尊厳をもって死ぬ権利があると思います。

❻ Devi

患者の死ぬ権利というのはドクターの殺す義務という意味でしょう。それは倫理に反します。安楽死は治療不可能な病気の医薬開発をできなくさせるかもしれないし、末期患者のケアも疎かになるなど、医療の発展を妨げそうだと私は思います。

❼ Kim

医療開発の点では、安楽死は国の医療費削減になりますね。その分、治せる病気治療にもっとお金をかけられますね。

ダイアローグで英語表現力 *UP!*

□ **impose a burden on 〜**（〜に負担をかける）

impose の他に put や lay も使える。

□ **as if S were 〜**（まるで〜のように）

仮定法なので実際には違うが、という前提。
It is as if I were in a dream.（まるで夢の中にいるようだ。）

❽ Devi

I think that the most difficult point is to establish strict guidelines for euthanasia. Once euthanasia is legalized, it can **turn into a slippery slope**. I mean, even those who are severely disabled, bed-ridden, or comatose patients could also be euthanized.

反論はないが別ポイントは強くサポートもあるので30点

❾ Kim

As for patients' families, euthanasia can eliminate various burdens including financial, mental, and physical burdens. Would you like to read the book?

反論はないが別ポイントは強く、サポートも強いので30点

❿ Devi

Sure! Thank you.

"私の出身国であるインドでは、
2018年に消極的安楽死が
基本的人権の一部として
認められました。"

❽ **Devi**

一番難しい問題は、安楽死の厳格なガイドラインを作ることだと思います。いったん安楽死が法的に許可されると、歯止めが利かなくなるかもしれません。つまり、重い障がいがある人や寝たきりや昏睡状態の患者が安楽死されてしまうかもしれないということでしょう。

❾ **Kim**

患者の家族のことを考えると、安楽死で経済的、精神的、肉体的負担など、さまざまな負担を解消できるかもしれません。私が読んだ本を読んでみますか？

❿ **Devi**

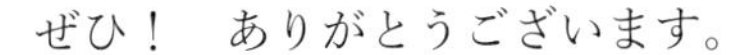

ぜひ！　ありがとうございます。

ダイアローグで英語表現力 *UP!*

□ **turn into a slippery slope**（歯止めが利かなくなる）
a slippery slope は「滑りやすい坂道」から「危険な先行き」という意味になった表現。

Step 4 ／ アーギュメントをJudge!

いかがでしたか？　今回は、Kim が賛成、Devi が反対の立場でした。それでは英悟の超人 Ichy Ueda による講評を見てみましょう。

▶本文 pp. 64 〜、日本語訳 pp. 65 〜

❶ Kim　計20点 ▸▸ 立論10点/サポート10点

安楽死法制化に賛成の意見を、耐え難い痛み（excruciating pain）を減らすため、とエピソード的に述べているので立論とサポートで計 20 点。

❷ Devi　計30点 ▸▸ 反論10点/サポート20点

安楽死は医療倫理（medical ethics）に反するという ethos に訴えたポイントで反論しているので 10 点。また、医師は命を救うべきだというサポートができているので 20 点ゲットです。

❸ Kim　計30点 ▸▸ 立論20点/サポート20点/減点10点

medical ethics にはダイレクトに反論していないので－10 点。ここでは“doctors' duty is also to relieve patients' pain”（医師の役割は患者を苦痛から解放すること だ）のように反論することができます。また、「医師が法律に救われる」という、裏返して考えた別ポイントは 20 点。また、そのサポートはしっかりとできているので 20 点獲得です！

❹ Devi　計20点 ▸▸ 立論20点/サポート10点/減点10点

「法制面」での反論がないので－10点。しかし、"impose a great mental burden on doctors"（医師に大きな精神的負担をかける）という別の強いポイントを述べているので20点。しかし、このポイントに対してのサポートは、実際の起きそうな問題点を疑問形式で述べているだけで関連性が弱く10点となります。mental burdenのサポートなら例えば、have a guilty conscience（罪の意識にさいなまれる）などがあります。

❺ Kim　計40点 ▸▸ 立論40点/サポート0点

反論はしていないのですが、That might be difficult, と受け答えしているので減点なし。「患者の拷問のような耐え難い苦痛をそのままにしておくのは残酷だ」という強い別ポイントを述べているので20点！　しかしサポートがありません。別ポイントとして「尊厳死（緩和ケアをしながら経緯にまかせる自然死）」に触れていますが、これもサポートがないので立論点のみ20点。

❻ Devi　計50点 ▸▸ 反論10点/立論20点/サポート20点

「倫理に反する」と反論していますが、わかりにくくサポートもないので10点。しかし、医療の発展を妨げるかもしれないという別ポイントを述べているので20点。さらに治療困難な病気や末期患者へのケアという具体例を挙げてサポートしているので20点！

❼ Kim　計20点 ▸▸ 立論20点/サポート10点/減点10点

反論はないので－10点。一方、医療費削減という強い別ポイントを述べているので20点。そして、他の病気治療にお金をかけられるという主張は関連情報なのでサポートとして10点。

❽ **Devi　計30点 ▶▶ 立論20点/サポート20点/減点10点**

反論はないので－10点。別ポイントはイディオムa slippery slope（歯止めが利かなくなる）を用いて、乱用（abuse）の可能性を述べているので20点。さらにサポートも適切なので20点ゲットです。

❾ **Kim　計30点 ▶▶ 立論20点/サポート20点/減点10点**

Deviの言った、ガイドラインに対する反論がないので－10点。なかなか反論は難しいですが例えば、"I think that Japan can establish proper guidelines just like the Netherlands and Belgium did, where the guidelines for euthanasia have been working effectively."（オランダやベルギーで安楽死のガイドラインがうまくはたらいているように、日本でもうまくいくと思う。）など海外での事例を挙げるのもひとつの方法です。家族の負担に関する別ポイントは強く、解消できる負担を列挙したサポートもいいので40点。

"相手の主張に反論してから
自分の意見を述べよう！"

Step 5 トピック４のまとめ

いよいよアーギュメントの結果発表です！

Kim
賛成
140点

VS

Devi
反対
130点

「安楽死法制化」の強いキーアイディアはこれだ！

賛成	① It eliminates patients' agonizing pain. （患者の苦しい痛みを取り除くことができる）
	② It will reduce national health care costs. （国の医療費を削減できる）
	③ It will eliminate financial, physical, mental burdens on patients' families. （患者の家族の経済的、肉体的、精神的な負担がなくなる）
反対 	① It will make a great psychological burden on doctors. （医師の心理的な負担が大きくなる）
	② It runs counter to medical ethics. （医療倫理に反している）
	③ It undermines the development of medical science. （医学の発展を損なうものである）

★ First Round ★

Game No.1

結 果 発 表

4つのトピックを通しての、2人の合計得点を見てみましょう。

1 Do the benefits of the legalization of same-sex marriage outweigh its disadvantages?

90点 VS 40点

2 Do the benefits of cloning technology outweigh its disadvantages?

105点 VS 120点

3 Do the benefits of alternative medicine outweigh its disadvantages?

140点 VS 115点

4 Should euthanasia be legalized?

130点 VS 140点

合計

465点  415点

Lina Devi  の勝利!

First Round

Game No.2

VS

TOPIC

5

動物実験の是非を議論！

Should animal testing be promoted?

6

AI の是非を議論！

Do the benefits of AI outweigh its disadvantages?

7

人種差別撤廃の可能性を議論！

Can racial discrimination be eliminated from society?

8

移民規制の是非を議論！

Should developed countries promote tight immigration policy?

TOPIC 5

動物実験の是非を議論！

Should animal testing be promoted?

医学の発展か動物の権利の
どちらを優先すべきか？

難易度 ★★☆☆
論争度 ★★☆☆
ジャンル 環境

Step 1 背景知識を日本語でInput！

動物実験は一般的に、薬品などの安全性、毒性（toxicity）、有効性（effectiveness）を評価するために行われます。実験に使われる動物は、実験動物生産施設で飼育・出荷され、医療技術の向上や、新薬や化粧品の開発、生命科学の発展、食の安全のために利用されています。

動物実験をめぐる世界の動きとしては、1959年にイギリスの研究者ラッセル（W. M. S. Russell）とバーチ（R. L. Burch）が動物実験の3R（the three Rs for animal research）— Replacement（代替）、Reduction（削減）、Refinement（改善）—を提唱し、1966年にアメリカで実験動物福祉法（the Laboratory Animal Welfare Act）が成立しました。また、日本では2005年に動物愛護管理法（the Act on Welfare and Management of Animals）が改正され、3Rが記載されました。2010年には国際獣疫事務局による実験動物福祉綱領施行、EUによる実験動物保護法改正がなされ、2013年にはEU内で、動物実験を用いて開発された化粧品販売が全面禁止（a complete ban on the sale of cosmetics developed through animal testing）となりました。化粧品のための動物実験禁止の動きは、インド、ベトナム、中国、台湾などのアジア諸国でも活発になってきています。

このように、現在では法整備により、動物の苦痛を最小限にしたり、代替方法をとったりするなどの努力がなされています。他にも、アメリカの医大では、2016年に認定医学学校197校すべてで、生体を用いたトレーニングが廃止されました。日本の医療機関でも、VR（バーチャルリアリティ）トレーニングシミュレーターを導入する動きが高まっており、疑似人体組織を利用した医学訓練用マネキンも開発中です。また、ウサギを用いた眼刺激性試験（ドレイズテスト）の代わりに、食用に屠畜されたニワトリの眼球を用いたICE法（the Isolated Chicken Eye / ICE test method）のような代替法も開発されています。一方で、動物は人間と同じ生体機能（biological functions）を持っているから、より正確な研究には生体から得たデータが必要だという、動物実験に賛成の主張もあります。医療の発展、また人間の豊かな生活のために、動物の犠牲は必要なのでしょうか。

Step 2 ／ 背景知識を英語でInputし、さらに問題意識をUP!

パッセージを読んで、以下の質問について考えてみましょう。
❶ 動物実験はどのような目的で行われていますか。
❷ 動物実験の 3R とはどのようなものですか。

Animal experiments are generally conducted to examine the **safety**, **toxicity**, or **effectiveness** of medical procedures, drugs, chemicals, cosmetics, and other substances. Approximately 100 million animals are used in the world every year, the vast majority of which are **euthanized** after the experiment. Some research, in which **toxic chemicals** are **administered** to **induce cancerous tumors**, can **inflict enormous pain on** animals.

Under the circumstances, British researchers Russell and Burch introduced the three R's for more ethical use of animals in 1959: **replacement** of animal experiments with other methods; reduction of the number of animals required for experiments; and **refinement of techniques** to **minimize suffering**. Now many countries use the three R's as guiding principles in laws and guidelines concerning animal testing.

日本語訳

❶**動物実験**は一般的に、医療処置、医薬品、化学物質、化粧品、その他の物質の**安全性**、**毒性**、**有効性**を検査するために行われます。毎年、およそ1億匹の動物が世界中で使われており、その大半が実験後に**安楽死**させられています。研究の中には、**がん腫瘍を誘発する**ために**有毒化学物質**が**投与**され、動物**に多大な痛みを負わせる**ものもあります。

このような状況のもと、イギリスの研究者であるラッセルとバーチが、1959年に動物のより倫理的な使用に関する3R、すなわち❷動物実験の代替手段への**置換**、実験使用動物数の削減、および**苦痛を最小限にする**ための**技術の改善**、を導入しました。現在多くの国で動物実験に関する法律やガイドラインの指針として3Rが使用されています。

「動物実験」を議論するための表現力を check!

- □ **新薬や新しい化粧品の開発** development of new drugs and cosmetics
- □ **ポリオや天然痘のワクチン** vaccines for polio and smallpox
- □ **動物愛護管理法** the Act on Welfare and Management of Animals
- □ **身体構造・遺伝・代謝上異なった** anatomically, genetically, and metabolically different
- □ **コンピュータシミュレーションの利用** use of computer simulations 「コンピュータシミュレーションを使った医学」は computational medicine
- □ **体外受精** in vitro fertilization
- □ **食物連鎖の頂点に立つ** be at the top of the food chain
- □ **製薬産業の売上を増やす** boost the pharmaceutical industry
- □ **動物の健康につながる** contribute to the well-being of animals
- □ **人間中心主義** anthropocentrism
- □ **苦痛の削減** a pain relief

Step 3 ダイアローグ
Should animal testing be promoted?

以下のダイアローグでは、2人の意見のポイントは何か、話が**かみ合っているか**、**改善すべき点は何か**、**どちらが強いアーギュメントか**を考えながら読みましょう。

❶ **Meyer**

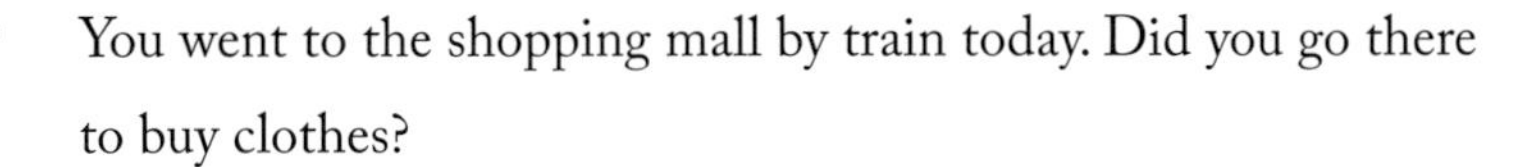

You went to the shopping mall by train today. Did you go there to buy clothes?

❷ **Laine**

No. I went to get some cosmetics. The organic cosmetics I use are only available there. I try to choose products that are not only organic and gentle on the skin but also **animal-friendly**. In other words, the products I choose are not tested on animals.

❸ **Meyer**

Really? What made you think that way?

❹ **Laine**

Well, I have an adorable cat, and she always comforts me after a hard day's work. It's a shame that some animals are used for cruel animal experiments that give them agonizing pain! That can't be tolerated! I think people should never **sacrifice** animals for human lives!

ペーソスに訴えたポイントと弱いサポートで20点

❺ **Meyer**

I know how you feel, but the fact remains that animal testing is essential for medical advancement. In fact, many discoveries in modern medicine are the result of animal testing.

強いポイントを提示しているが、サポートが弱いため30点！

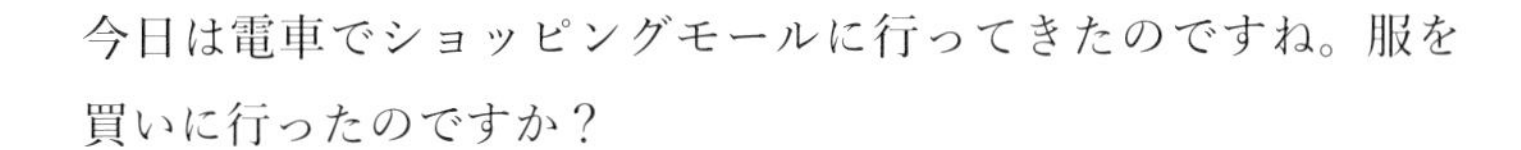

日本語訳　動物実験の是非を議論！

❶ **Meyer**

今日は電車でショッピングモールに行ってきたのですね。服を買いに行ったのですか？

❷ **Laine**

いいえ。化粧品を買いに行っていました。私の使っているオーガニック化粧品はそこでしか手に入らないのです。私は、オーガニックで肌に優しいだけでなく、動物に優しい商品を選ぶようにしています。つまり、私が選ぶ商品は、動物実験されていないのです。

❸ **Meyer**

本当ですか？　なぜそういう風に考えるようになったのですか？

❹ **Laine**

私はかわいい猫を飼っていて、1日の激務の疲れをいつも癒してくれるのです。苦痛を与える残酷な動物実験に使われる動物がいるのは残念で、そんなことには耐えられないのです！　人間の生活のために動物を犠牲にすべきではないと思います！

❺ **Meyer**

その気持ちはわかります。でも、医学の発展のためには、動物実験は不可欠だという事実に変わりはありません。事実、近代医学の多くの発見は動物実験の結果なのです。

ダイアローグで英語表現力 *UP!*

□ **animal-friendly**（動物に優しい）

“friendly” で「～に優しい」となる。pet-friendly（ペットに優しい）、user-friendly（ユーザーにとって使いやすい）などがある。

□ **sacrifice**（～を犠牲にする）

sacrifice は名詞・動詞として用いられる。at the sacrifice of ～（～を犠牲にして）、sacrifice one’s life / property（生命／財産などを投げ出す）のように使う。

❻ Laine

It is true that animal experiments have been conducted to collect data for advancements in medical science as well as development of cosmetics and household products. But it is also true that many animal experiments are unnecessary and can be replaced by other methods.

反論の代わりに相手の論を強めてしまった後で、
強い別ポイントを述べるがサポートなしで0点

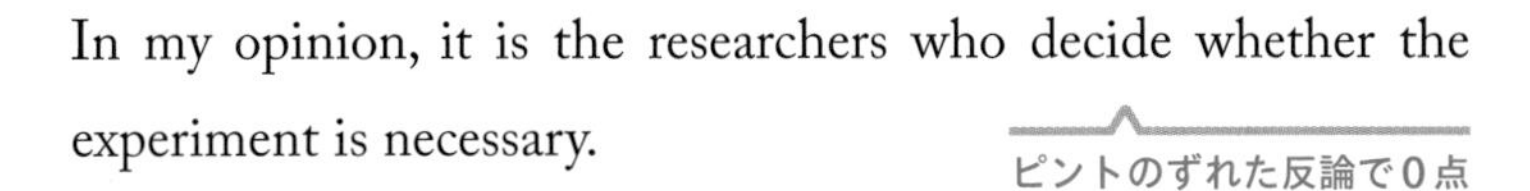

❼ Meyer

In my opinion, it is the researchers who decide whether the experiment is necessary.

ピントのずれた反論で0点

❽ Laine

Is that so?

❾ Meyer

Of course, most of us feel sorry for the animals on which chemicals are tested. But only animal experiments allow us to verify the safety of the chemicals. I don't think there are viable alternatives to experiments without using living bodies.

反論と、それを言い換えたサポートで25点！

❿ Laine

That's not the way I see it. In fact, most medical schools in the U.S. use alternative methods to animal testing. I believe that animal testing will be totally banned all over the world in the future. So, consumers should choose more animal-friendly products.

弱い反論と無理のあるサポートで20点！

⓫ Meyer

Umm… I'm afraid I can't be so choosy about daily necessities.

❻ **Laine**

確かに、化粧品、日用品などの開発だけでなく、医学の進歩のためのデータを集める目的で動物実験は行われてきています。でも、そのような動物実験の多くが不必要で、他の方法に代えることができるのも事実です。

❼ **Meyer** 私の意見では、実験が必要か不必要か決めるのは研究者です。

❽ **Laine** そうですか？

❾ **Meyer**

もちろん私たちのほとんどは、実験のために化学物質を投与される動物たちに対してかわいそうだと感じます。でも、動物実験だけが、化学薬品の安全性を確かめられるのです。生体を使わないで可能な実験の代替方法はないと私は思います。

❿ **Laine**

私はそのようには思えません。実際、アメリカのほとんどの医大では動物実験に代わる方法を使っているのです。将来は、世界中で動物実験が全面禁止されると信じています。だから、消費者はより動物に優しい商品を選ぶべきだと思います。

⓫ **Meyer** うーん。残念ながら、私はそこまで日用品にこだわれません。

ダイアローグで英語表現力*UP!*

□ **That's not the way I see it.** （私はそうは思いません。）

the way I see it で「私のそれに関する見方」となる。"The way I see it, …"（私の見方では、…）という表現もある。

Step 4 / アーギュメントをJudge!

いかがでしたか？　今回は、Meyerが賛成、Laineが反対の立場でした。それでは英悟の超人Ichy Uedaによる講評を見てみましょう。

▶本文 pp. 80 〜、日本語訳 pp. 81 〜

❹ Laine　計20点 ▶▶ 立論15点/サポート5点

ここからがアーギュメントの本題です。「残酷な実験に動物を使用するのは残念だ」は、ペーソスに訴えています（15点）。サポートではどれくらいagonizingなのかを述べる必要がありますが、「人の犠牲になるべきでない」と、前の文を言い換えただけなので5点です。そこで、**"it is unjustifiable to inflict pain on animals because they should also have the right to live."（動物も生きる権利を持つべきなので、動物に苦痛を加えることは正当化できない。）**のように述べると強くなります。

❺ Meyer　計30点 ▶▶ 反論0点/立論20点/サポート10点

Laineの「かわいそう」という意見に対しては、相手に同調しているので反論点は0点。その後、**「動物実験は医学の発展には必須」**という強いポイントを提示しています（20点）が、「動物実験の結果、近代医学において発見が多くあった」というサポートは、**ポイントの単なる言い換えのため、10点**。強いサポートにするには、**天然痘・ジフテリア・はしかのワクチン（vaccines for smallpox, diphtheria, and measles）、腎臓の人工透析（kidney dialysis）、抗生物質（antibiotics）**の開発など、動物実験が医学の進歩に貢献した**具体的な事例**を挙げる必要があります。

"相手の主張を強めるような
反論はしないようにしよう！"

❻ Laine　計 0 点 ▸▸ 立論 20 点 / サポート 0 点 / 減点 20 点

「医学、化粧品、日用品の開発のために動物実験は行われている」と相手の論を強める発言をしているので、反論点は－20 点です。But 以下では、「不必要な実験や、他の方法で代用できる実験も多い」と別ポイントを提示しています（20 点）が、例えば、過去の実験のデータ（data from past experiments）、培養細胞を使った生体外実験（in vitro experiments using cultured cells）、コンピュータシミュレーション（computer simulations）などの代替方法の具体例をサポートに挙げてアーギュメントを強める必要があります。

❼ Meyer　計 0 点 ▸▸ 反論 0 点 / サポート 0 点

「動物実験には代替方法がある」という相手の論に対して、「実験が必要か決めるのは研究者だ」とピントがずれた反論をしているので 0 点。"It is true that there are alternative methods, but humans and animals are so biologically similar, and therefore, more precise data can be obtained through animal testing."（確かに代替方法はあるが、人間と動物は生物学的に非常に似ているので、動物実験の方が正確なデータが得られる。）などと切り返すと、強いアーギュメントとなります。

❾ Meyer　計 25 点 ▸▸ 反論 20 点 / サポート 5 点

「薬の安全性を立証できるのは動物実験である」というポイントと、次の「生体を使わないで実行可能な代替方法はない」は言い換えているだけなので計 25 点。

❿ Laine　計 20 点 ▸▸ 反論 10 点 / サポート 10 点

「アメリカのほとんどの医大では動物実験の代替方法を使っている」と反証していますが、具体的な代替方法の例も挙げず、「ゆえに世界でも動物実験を禁止し、消費者は動物に優しい商品を選ぶべき」は、論理の展開に無理があります。弱い反論と無理のあるサポートで計 20 点。

Step 5 トピック5のまとめ

いよいよアーギュメントの結果発表です！

「動物実験」の強いキーアイディアはこれだ！

賛成 	① It is essential for advancement in medicine. （医学の発展に不可欠である）
	② It will provide accurate data on the safety of new medicine. （新薬の安全性に関する正確なデータが得られる）
	③ It will boost the economy through development of the medical industry. （医療産業の発展により経済が活性化される）
反対 	① There are alternative methods to animal experiments. （動物実験に代わる方法がある）
	② It is unreliable because of animals' entirely different biological functions from humans'. （人間とは生物学的機能が全く異なるため、信頼性に欠ける）
	③ It sacrifices many animals' lives. （多くの動物の命を犠牲にしている）

議論のための表現力UP ②「改善する・変える」

□ **alleviate**（緩和する） ポイント 問題がより深刻にならないようにする

Some measures are taken to alleviate the problems related to SNS.
（SNSに関連する問題を緩和するために対策が取られている）

□ **remedy**（改善する） ポイント 問題に取り組んだり、悪い状態を改善する

The government took necessary measures to remedy the situation.
（政府は状況を改善するために必要な措置を講じた）

□ **pave the way for ～**（～への道を開く） ポイント 適切な状況を生みだすことで将来の発展を可能にする

The court decision paved the way for preventing similar crimes.
（裁判所の判決は同様の犯罪の防止への道を開いた）

□ **modify**（修正する） ポイント 改善し適切になるように細かな修正を行う

The law committee modified the regulations to prevent cruelty to criminals.
（法委員会は犯罪者への残酷な行為を防ぐための規則を修正した）

□ **expedite**（促進させる） ポイント プロセスを早めたり起こりやすくする

The minister promised to expedite the reform of the legal system.
（大臣は法制度の改革を早めることを約束した）

TOPIC 6

AIの是非を議論！

Do the benefits of AI outweigh its disadvantages?

人工知能は人類の救世主なのか
災いなのか？

難易度 ★★★☆
論争度 ★★★★
ジャンル 科学技術

Step 1 背景知識を日本語でInput！

映画『イミテーション・ゲーム』をご覧になったことがありますか？ その主人公、イギリスの数学者アラン・チューリングこそ、今や私たちの生活でもすっかり身近になった人工知能（Artificial Intelligence）、つまりAIの父とも呼ばれるAI概念の提唱者です。チューリングは『計算する機械と知性（Computing Machinery and Intelligence）』（1950年）という論文で、「機械は考えることができるか？」という問題を提起しました。その後1956年にはアメリカでダートマス会議（The Dartmouth Summer Research Project on Artificial Intelligence）という研究発表会が開催され、そこで初めてAIという分野が確立し、さまざまな機関で本格的な研究が始まりました。

それからのAIは栄枯盛衰でした。1960年代から2000年代初頭には、推論・探索により特定の問題を解くAIから、コンピュータに知識を取り込んだエキスパートシステム（expert system）というAIへと発展しましたが、2度の挫折も経験しました。ところが、2010年代になると「ビッグデータ」という大量のデータをコンピュータ自らが学習し、アルゴリズムやモデルを自動的に構築する機械学習（machine learning）や、さらにその表現・学習能力を高め、精度を向上させるディープラーニング（deep learning）が取り入れられ、AIは継続的な発展（continuous growth of AI）を続けています。

現在普及しているAIは将棋や掃除、車の運転など特定の作業だけしかできない特化型AI（narrow AI）です。しかし、自ら考え、問題解決ができる汎用AI（artificial general intelligence / AGI）が実現すると、自身でプログラムを改良し、永続的に指数関数的な（exponential）進化を遂げ、制御不能（out of control）に陥るのではないかという仮説があります。この、人間の介在なしにAIが進化し始める時点はシンギュラリティ（singularity）と呼ばれ、研究者の間では2045年までにその時が訪れるのではないかと言われています。さまざまな恩恵をもたらす一方で、果ては人間を支配するかもしれないAIとどのように共存（coexistence）すべきかを議論する必要がありそうです。

Step 2 ／ 背景知識を英語でInputし、さらに問題意識をUP!

パッセージを読んで、以下の質問について考えてみましょう。
❶ AIを画期的に発達させた要素は何ですか。
❷ AIが人間に及ぼす負の影響にはどのようなものがありますか。

AI, or artificial intelligence, is generally defined as the system of making intelligent computer programs. With the development of computer technologies, AI has become capable of reasoning, problem-solving, perception, language understanding, and automatic learning. AI has been revolutionarily advanced due to "big data", or a huge amount of individual data, and "deep learning", or advanced machine learning based on automatic data classification. As AI can pose a threat to humans by violating people's privacy, replacing humans' jobs, and even controlling humans, we should consider how to achieve peaceful coexistence with AI in terms of social well-being, public safety, national security.

日本語訳

AI、つまり人工知能は一般に、知能を持ったコンピュータのプログラムを作るシステムと定義づけられます。コンピュータ技術の発達とともにAIは推論、問題解決、認知、言語理解、そして自動学習ができるようになってきました。❶AIは膨大なデータの集合である「ビッグデータ」と自動データ分類ができる高度な機械学習である「ディープラーニング」によって画期的な発達を遂げました。そのようなAIは、❷プライバシーを侵害したり、人間の職業に取って代わってしまったり、もしかしたら人間を支配するかもしれないという脅威となる可能性があるので、私たちは安心できる社会福祉、治安、国家の安全といった観点からAIと平和的に共存できる方法を考えていかなければなりません。

「人工知能」を議論するための表現力を check!

- □ 正確な診断と病気の早期発見
  accurate diagnoses and early detection of diseases
- □ AI手術ロボット　AI surgical robots
- □ 高齢化社会の問題を軽減する　alleviate the problems of aging society
- □ 高齢者の孤独を軽減する　relieve the loneliness of elderly people
- □ 深層学習　deep learning
- □ AI搭載の自動運転車　AI-equipped autonomous cars
- □ 汎用型AI　Artificial General Intelligence / AGI　strong AIともいう
- □ 道路交通の安全　road traffic safety
- □ 労働力不足を解消する　alleviate labor shortages
- □ 人間の仕事を奪う　replace human workers
- □ 犯罪者による悪用や乱用にさらされる
  (be) subject to misuse and abuse by criminals

Step 3 ダイアローグ
Do the benefits of AI outweigh its disadvantages?

以下のダイアローグでは、2人の意見のポイントは何か、話が**かみ合っているか、改善すべき点は何か、どちらが強いアーギュメントか**を考えながら読みましょう。

❶ **Laine**

Yesterday when I went to get a new smartphone, I was served by a humanoid robot at the shop. It can interact with us and even perform a dance! I think such AI-equipped robots can **alleviate labor shortages** in various fields including nursing care and construction.

立論と弱めのサポートで35点

❷ **Meyer**

On the contrary, AI will cause a serious job shortage, as it will deprive people of their jobs. Besides, a lot of companies are downsizing because of the economic recession.

反論はないが別ポイントで20点

❸ **Laine**

But labor shortages are already serious problems in a super-aging society like Japan. Labor shortages will mean a fall in productivity, which leads to **sluggish economy**.

反論はなく、話がかみあっていないので−10点

日本語訳 | AIの是非を議論！

❶ Laine

昨日、新しいスマートフォンを買いに行ったら、お店で人型ロボットが応対してくれたんです。ちゃんと人とやりとりできていたし、ダンスまで披露していました！　あんなAI搭載ロボットが、介護現場や建設業を含むさまざまな分野で労働力不足を軽減してくれるんじゃないかなって思いました。

❷ Meyer

逆に、AIは人々の仕事を奪ってしまうから、深刻な仕事不足になりますよ。それに、景気が悪くなってたくさんの企業が縮小されています。

❸ Laine

でも、日本のような超高齢化社会では、労働力不足はすでに深刻な問題です。労働力不足は生産性の低下になるし、景気の低迷に繋がってしまいます。

ダイアローグで英語表現力*UP!*

□ **alleviate labor shortage**（労働力不足を軽減する）

alleviateはネガティブな状態をマシにするという意味なので「貧困、苦難、不安」と結びつきやすい。alleviate poverty（貧困を緩和する）alleviate anxiety（不安を和らげる）alleviate pain（痛みを緩和する）のように使う。

□ **sluggish economy**（不況、停滞している経済）

sluggishはslug（ナメクジ）から「のろい、不活発な」の意。sluggish growth（伸び悩み）a sluggish engine（かかり難いエンジン）のように使う。

❹ Meyer

They're only happening in some industries. AI will be able to handle only low-skilled work, and will never replace human workers in most fields. Besides, AI-equipped robots are so costly that their introduction will be unrealistic.

反論と別ポイント、ただし自分を弱めているので20点

❺ Laine

The initial investment may be costly, but AI will definitely pay off in the long run by enhancing work efficiency and productivity. Another advantage of AI is that AI will make our society safer. For example, AI-equipped cars can help people drive more safely by detecting and avoiding obstacles. That will greatly decrease the number of traffic accidents.

反論と少なめサポート、別ポイントとしっかりサポートで70点

❻ Meyer

In terms of transportation safety, it has limited applications and potential. Take those AI-equipped cars for example. You cannot rely on them because of the possibility of malfunctions that can cause serious accidents. In addition, Advanced AI may **pose a threat to** human society. It may go beyond human control and raise a rebellion against human beings, like shown by many science fiction movies.

反論とサポート、別ポイントとサポートで80点

❼ Laine

As for the potential for the so-called singularity, **what I see in my crystal ball** is that it will integrate human brains with supercomputers and realize the unlimited potential of human beings.

反論のみで20点

❹ Meyer

それらは一部の業界のみでのことでしょう。AIはスキルの低い仕事しかできないから、ほとんどの分野で人間の労働者に取って代わることはありません。さらに、AIを搭載したロボットは非常にコストがかかるから、導入は非現実的です。

❺ Laine

初期投資には費用がかかるかもしれないけど、AIは作業効率と生産性を上げるので、長い目で見れば確実に成果を上げます。AIのもうひとつの利点は、AIで社会がより安全になることです。例えば、AI搭載車が障害物を検出して回避することで、より安全に運転できるようになります。これで交通事故の件数が大幅に減ります。

❻ Meyer

輸送の安全性の点からみると、用途と可能性は限られています。例えば、重大な事故につながる故障があるかもしれないからAI搭載車には頼れません。それに、高度なAIは人間社会に脅威を与えるかもしれません。SF映画でよくあるように、制御できなくなったAIが人間に反逆するかもしれません。

❼ Laine

いわゆるシンギュラリティの可能性なら、予測するに、人間の脳とスーパーコンピュータを統合して、人間の無限の可能性を実現するということですね。

ダイアローグで英語表現力 *UP!*

□ **pose a threat to**（〜に脅威を及ぼす）

pose は「置く」という意味。pose a problem（問題を投げかける）pose a challenge（難題をもたらす）などがある。名詞は日本語でもおなじみの「ポーズ」で strike a pose（ポーズをとる）など。

□ **what I see in my crystal ball**（私が予測すること）

Step 4 ／ アーギュメントをJudge!

いかがでしたか？　今回は、Laineが賛成、Meyerが反対の立場でした。それでは英悟の超人Ichy Uedaによる講評を見てみましょう。

▶本文pp. 92～、日本語訳pp. 93～

❶ Laine　計35点 ▸▸ 立論20点／サポート15点

労働力不足を解消するという強いポイントで立論しているので20点。サポートは自身の経験のみなので、ほとんど点になりませんが、"various fields including nursing care and construction"と例を挙げているので15点です。

❷ Meyer　計20点 ▸▸ 立論20点／サポート0点

AIが人間の仕事を奪って仕事不足（job shortage）になるというのは、別ポイントとして20点獲得ですが、Laineの言った労働力不足解消に対する反論ではありません。論点が労働力不足から仕事不足にすり替わってしまいました。分野によって仕事不足と労働力不足の違いが起こり、AIによってなくなる仕事・生まれる仕事が出てきます。"AI will not likely replace human workers in most fields because AI is capable of handling only low-skilled jobs such as ～"(AIができる仕事は、例えば～のようなスキルを必要としない仕事に限られているので、まず、ほとんどの分野でAIが人に取って代わることはない。）のように反論を進める必要があります。日常会話なら、「確かにそれはそうかもしれないが（There is some truth to it.)、job shortageが起こる」と切り返して、相手の主張を認めることで自分の主張を弱めてしまうことがありますが、アーギュメントの場では要注意です。また企業の縮小などは無関係な話なので追加点なしです。

❸ Laine　計 −10 点 ▸▸ 立論・反論 0 点 / サポート 0 点 / 減点 10 点

Meyer の言った仕事不足に関する反論がないので 0 点。❶ Laine で述べた労働力不足解消の話ではなく、労働力不足の深刻さの話にすりかわっていて、完全にアーギュメントのルールを無視しているので −10 点。日常会話なら、❷ Meyer の論点のそれた反論につられて、"AI will not cause massive unemployment, but just change the way we work. [サポートなしの判断のみ] Moreover, new AI-related jobs can be created, as advanced technologies has often created new jobs. [具体例のサポートなしの判断のみ]"（AI で失業が増加するのではなく働き方が変わるだけだ。それに、技術の発展がしばしば新しい仕事を生み出してきたように、AI 関連の新しい仕事ができるかもしれない。）といった不完全な主張をすることがあります。しかし、アーギュメントでは、❶の主張のサポートを事務職（clerical work）、研究職（research work）にも役立つなどと詳しく述べていく必要があります。

❹ Meyer　計 20 点 ▸▸ 反論 10 点 / サポート 0 点 / 立論 10 点

労働力不足解消というのは一部の業界でのみだと反論していますが、サポートとして、AI の活躍の場が限られていると述べるのは ❷ Meyer で自ら述べた「人々の仕事を奪ってしまうから深刻な仕事不足になる」という意見を弱めているので 10 点。また、コストがかかり非現実的というのは別ポイントですが、これも同様に自らの意見を弱めているので 10 点です。これらは完全に Laine のペースにはまってしまい、自分のポイントである「仕事不足を起こす」を忘れてしまっています。「AI は簡単な仕事しかできないので人間に取って代わらない→それなら深刻な仕事不足につながらない」や、「AI ロボットは高価すぎて導入されることはない→それなら人間に取って代わらない」などと、自分を弱める発言になってしまっています。これは日常会話ではよく起こりますが、議論では絶対に避けるべきです。

❺ Laine　計 70 点 ▶▶ 立論 20 点／反論 20 点／サポート 30 点

コストがかかるという Meyer の意見に反論しているので 20 点。しかし作業効率と生産性が上がるというサポートは少ないので 10 点。また、安全な社会になるという強い別ポイントを述べているので 20 点。さらに具体例として AI 搭載車の例を挙げて、しっかりとサポートしているので 20 点ゲット！

❻ Meyer　計 80 点 ▶▶ 反論 20 点／立論 20 点／サポート 40 点

安全性について反論できているので 20 点。AI 搭載車の弱点を突いた具体的な例を出してしっかりとサポートしているので 20 点。また、人間の脅威となるかもしれないという強い別ポイントで 20 点、さらに筋の通ったサポートもできているので 20 点ゲット！　理想的な話し方です。

❼ Laine　計 20 点 ▶▶ 反論 20 点／サポート 0 点

人間の脅威に対して、ポジティブな側面を述べて反論しているので 20 点、しかしサポートがないので追加点はありません。

☆ Laine は「ビッグデータを用いて病気の早期診断ができる」など医療分野での利点を述べていません。これはとても強い賛成意見のアーギュメントなのでこれを欠いたのは痛恨の極み！

“自分の主張を弱める発言をしないようにしよう！”

Step 5 トピック6のまとめ

いよいよアーギュメントの結果発表です！

Meyer
反対
120点

「人工知能」の強いキーアイディアはこれだ！

① It will alleviate the problems of aging society.
（高齢化社会の問題を緩和することができる）

② It contributes to traffic safety.
（交通安全に貢献する）

③ It brings substantial benefits to medical science.
（医学に多大な利益をもたらす）

① It will increase unemployment rates by replacing many human workers.
（人間の仕事に取って代わることで失業率が上昇する）

② It is subject to misuse and abuse by criminals.
（犯罪者による悪用や乱用の恐れがある）

③ It may pose serious threats to humans through “singularity.”
（「シンギュラリティ」によって人類に深刻な脅威をもたらす可能性がある）

TOPIC 7

人種差別撤廃の可能性を議論！

Can racial discrimination be eliminated
from society?

人間の弱さから生まれた
根深い人種差別をなくせるのか？

難易度 ★★★☆
論争度 ★★★★
ジャンル 政治

Step 1 背景知識を日本語でInput！

差別とは、未知のものや自身と異なるものへのおびえから生まれることが多く、グローバル化（globalization）とも密接な関係があります。ソビエト連邦崩壊（Dissolution of the Soviet Union）後、資本主義の下で規制緩和や自由競争（deregulation and laissez-faire）が進められ、人・物・経済といった三大要素の地球規模での交流がますます活発になりました。また、インターネットの普及で地球の反対側にいる人々とでさえ瞬時に情報のやり取りができるようになり、国境に縛られない交流（borderless communication）が身近になりました。そのようなグローバル化が、異なる言語、文化、習慣、民族に触れる機会を増加させ、多様性を受け入れられる寛容さ（tolerance for diversity）を養う一助になったと言えるでしょう。事実、さまざまな文化交流や経済活動を通した相互理解（mutual understanding）の深まりが、差別の根源である「おびえ」を取り除く役割を果たしてきました。

しかしその一方で、グローバル化がかえって根強い差別意識（deep-rooted discrimination）を増長させているという、残念な見方もあります。グローバル化により競争が激化することで経済格差が拡大し、持つ者と持たざる者の二極化（polarization of haves and have-nots）が進みました。また移住が増えたことで、言語や宗教、外見、行動の違うものに対して脅威を感じたり、文化的アイデンティティや価値観を失う危機感を抱いたりして、内向き志向（inward-looking）になりナショナリズムが増大する傾向も見られます。これらの不安定要素は異なる者への不寛容を生み出し、ひいては差別意識が高まる土壌を作り出してしまいます。

主に植民地支配や奴隷制により助長されてきた人種差別をなくそうと、国連は1969年に人種差別撤廃条約（the International Convention on the Elimination of All Forms of Racial Discrimination）を発効し、NGOなどのさまざまな組織は人種差別撤廃運動を起こしてきました。21世紀になるとインターネットの普及により、ソーシャルネットワーキングサービスなどを通じて一般の人にもそのような運動が身近になっています。Twitterでの#BlackLivesMatter運動が世界中に広まったのは記憶に新しいところです。人種差別のない成熟した社会を目指し、人類が一丸となって運動を進めていく必要がありそうです。

Step 2 背景知識を英語でInputし、さらに問題意識をUP!

パッセージを読んで、以下の質問について考えてみましょう。
❶ 歴史的に人種差別はどのように利用されてきましたか。
❷ 人種差別を根絶するための試みにはどのようなものがありますか。

Racism is the belief that humans can be divided into biological traits and some races are innately superior to others. Historically, racism has been a tool for gaining and maintaining power. **Colonialism** and slavery led to a significant cause and consequence of racism in today's world. The consequences were the exploitation, robbery, turmoil, **embezzlement** of land and resources, and even denial of humanity.

Deplorably, racism is still **inherited** in many places and forms even today, when we can exchange opinions and interact with people all over the world both online and offline. These **relics** of colonialism and slavery cannot be easily eliminated, though many international bodies, companies, governments, and activists have tried to **eradicate** through regulations and campaigns.

日本語訳

人種差別とは、人間は生物学的特性に分けることができ、ある人種は他の人種より本質的に優れているという信念のことです。歴史的に、❶人種差別は権力を獲得し、維持するための道具にされてきました。**植民地主義**と奴隷制は今日の世界での人種差別と大きな因果関係があり、搾取、強盗、混乱、土地と資源の**横領**、さらには人間性の否定さえも起こりました。

残念なことに、ネットでもリアルでも世界中の人々と意見を交換したり交流したりできる現在でも、人種差別は多くの場所や形で**受け継がれて**います。多くの国際機関、企業、政府、活動家などが❷規制やキャンペーンを通じて**根絶**しようと試みてきましたが、この植民地主義と奴隷制の**遺物**を簡単に排除することはできません。

「人種差別撤廃」を議論するための表現力を *check!*

- □ 人と人との相互理解を増す increase mutual understanding between people
- □ 規則や法の強化 tightening regulations and laws
- □ 早期教育で子どもに正しい価値観を教える
  teaching children the right values from an early age
- □ 他者より優位でありたいという人間の制御できない欲望
  humans' uncontrollable desire to feel superior to others
- □ 身内ひいき in-group favoritism
- □ 未知のものへの恐怖心 a fear of the unknown
- □ 深く根差した白人至上主義 a deep-rooted sense of white supremacy
- □ 排他主義 exclusionism
- □ 他の人種より白人を優位な序列に置く
  place Caucasian higher in the hierarchy than other races
- □ 少数民族差別という終わりなき悪循環
  an endless vicious circle of discrimination against minorities
- □ 領土拡張主義 territorial expansionism

Step 3 ダイアローグ
Can racial discrimination be eliminated from society?

以下のダイアローグでは、2人の意見のポイントは何か、話が**かみ合っているか**、**改善すべき点は何か**、**どちらが強いアーギュメントか**を考えながら読みましょう。

❶ **Laine**

I heard that an advertisement of a big sports company has become controversial since it is focused on the problem of racism and **bullying** in Japan. Although many international bodies including UNESCO have also been fighting against racial discrimination, it seems never to be eliminated.

❷ **Meyer**

I believe that racial discrimination can be eliminated through more interactions. Discrimination often occurs when people don't understand each other. Today, we can easily interact with people in different cultural backgrounds thanks to the Internet, which increases mutual understanding between them.

強いポイントとしっかりサポートで40点

❸ **Laine**

I don't think that the problem is so simple. No matter how closely we may interact with each other, we cannot **eradicate deep-rooted racism**. Actually, police violence against black people shows **no sign of abating** especially in the U.S. This incident tells us how the history of slavery was embedded in the U.S. society.

弱い反論だが強いサポートがあるので35点

日本語訳 | 人種差別撤廃の可能性を議論！

❶ Laine

日本の人種差別やいじめの問題に焦点を当てた大手スポーツ会社の広告が物議を醸していると聞きました。ユネスコを含む多くの国際機関も人種差別と闘ってきましたが、差別が排除されることはなさそうですね。

❷ Meyer

私はもっと交流を増やすことで人種差別をなくすことができると思います。差別というものは、お互いを理解していないときによく起こるものです。今はインターネットのおかげで違う文化的背景の人々と簡単に交流することができて、お互いをよく知ることができます。

❸ Laine

問題がそんなに単純だとは思いません。どんなに緊密に交流しても、根深い人種差別を根絶することはできません。実際、黒人に対する警察の暴力は、特にアメリカなどでなくなる気配がないでしょう。この事件で奴隷制の歴史がアメリカ社会にいかに根付いてしまっているかわかります。

ダイアローグで英語表現力 *UP!*

□ **bullying**（いじめ）
become the target of bullying は「いじめの対象になる」

□ **eradicate deep-rooted racism**（根深い人種差別を根絶する）
deep-rooted は、感情などが「深く根差した」の意味でよく用いられる。

□ **there is no sign of abating**（減る／なくなる気配がない）
よく使われる表現で、abate は「弱まる」という意味。

❹ Meyer

But such a terrible tragedy has driven some activists to promote hashtags, #BlackLivesMatter, on Twitter to gain attention. And a lot of celebrities including singers, actors, and athletes support this movement. I think the media will raise public awareness about human rights through this worldwide movement, **which in turn** helps eliminate racism.

反論なしだが、別ポイントと強いサポートで25点

❺ Laine

Even if they understand the importance of human rights in their head, they tend to **exclude something alien** for fear of possible dangers by nature. This behavior is common even to other animals which try to keep their species safe. I'm afraid this kind of human nature will never disappear.

反論なしだが、強い別ポイントと弱いサポートで15点

❻ Meyer

I know, but I think people can change. In the first place, racism is what humans created. So if regulations and laws are enforced thoroughly, the idea of **white supremacy** can gradually die out. Abolition of apartheid, for example, shows that the policy can change the society.

強い反論とその強いサポートで40点

❹ **Meyer**

でもそんなひどい悲劇で、活動家が注目を集めるために、Twitter でのハッシュタグ #BlackLivesMatter 運動を推進するようになりました。さらに歌手、俳優、スポーツ選手を含む多くの有名人がこの運動を支持しています。メディアがこの世界的な運動を通じて人権に対する人々の意識を高め、それが人種差別をなくすことにつながると思います。

❺ **Laine**

いくら頭で人権の重要性を理解していても、危険があるかもしれないと思って異なるものを排除するのが性です。これは種を安全に保つためで、他の動物にも共通しています。このような人間性は決して消えないのではないかと思います。

❻ **Meyer**

わかりますが、人は変わることができるとも思います。そもそも、人種差別は人間が作ったものなので、規制や法律が徹底されれば、白人至上主義の考えは徐々に消えていく可能性があります。例えば、アパルトヘイトの廃止で、政策が社会を変える可能性があるとわかっていますし。

ダイアローグで英語表現力 *UP!*

□ **which in turn**（そしてその次に）

in turn は「今度は、回りまわって」の意味でよく使われる。

□ **exclude something alien**（未知のものを排除する）

alien は「宇宙人、異邦人、異質な」という意味。

□ **white supremacy**（白人至上主義）

supreme は「最高の」という意味で、white supremacists は「白人至上主義者」のこと。

❼ Laine

That is a superficial view of society. People have an uncontrollable desire to feel superior to others by nature, which will often cause discrimination against others. Even with regulations on discrimination, people cannot **wipe out this desire**, I'm afraid.

反論と別の強いポイントで40点

❽ Meyer

It's a shame that a mature society has not been built yet. But I think that teaching children the right values from an early age can positively affect their attitude toward minorities, which can eliminate discrimination in the long run.

反論のみなので20点

❾ Laine

If only we had **an egalitarian society**: a society without discrimination.

“私の出身国であるフィンランドは、世界幸福度ランキングで１位を獲得していますが、人種差別の問題が根絶できているとは言えません。”

❼ Laine

それは社会の表面的な側面かもしれません。人というのは本質的に他の人よりも優れていると感じたいという制御できない欲求があって、それで他の人に対する差別をしてしまうでしょう。差別の規制があっても、人々はこの欲求を一掃することはできないと思います。

❽ Meyer

成熟した社会がなかなか構築されないのは残念ですね。でも幼い頃から子どもたちに正しい価値観を教えることは、マイノリティに対する彼らの行動にプラスの影響を与えられると思います。長い目で見れば差別を根絶できるかもしれません。

❾ Laine

平等な社会になればいいですね。差別のない社会に。

ダイアローグで英語表現力 *UP!*

□ **wipe out (eradicate) this desire**（この欲求を一掃する）
get rid of、eliminate、root out でも言い換えられる。

□ **an egalitarian society**（平等な社会）
egalitarianism（平等主義）とは、a philosophy based on equality のこと。

Step 4 ／ アーギュメントをJudge!

いかがでしたか？　今回は、Meyer が賛成、Laine が反対の立場でした。それでは英悟の超人 Ichy Ueda による講評を見てみましょう。

▶ 本文 pp. 104 〜、日本語訳 pp. 105 〜

❷ Meyer　計40点 ▶▶ 立論20点／サポート20点

交流を増やすと差別をなくせるという強い立論ができているので20点。さらにインターネットの例を挙げしっかりとしたサポートをしているので20点！

❸ Laine　計35点 ▶▶ 反論15点／サポート20点

Meyer の意見に「deep-rooted なので根絶できない」と反論はしていますが、“There is a long history of discrimination that is deeply rooted in society.”（差別には社会に深く根付いた長い歴史がある。）と述べる方がベターなので15点。サポートはしっかりしているので20点ゲット！

❹ Meyer　計25点 ▶▶ 立論15点／サポート20点／減点10点

Laine の言った、深く根付いている差別に対して反論はしていません（反論ルール違反で－10点）。しかし、「メディアは人々の意識を高める」という別のポイント（15点）と、Twitter のハッシュタグを例にしたサポートはしっかりしている（20点）ので、計35点。

❺ Laine　計15点 ▶▶ 立論20点／サポート5点／減点10点

ここでは Meyer の意見に対して、「メディアの影響力は弱い」という反論がないので－10点。別の立論である人間の本質に言及したポイントは強いので20点。ただし、「他の種でも同様だ」という人間と異なる種を引き合いに出すサポートは弱く、5点。

❻ Meyer　計40点 ▸▸ 反論20点/サポート20点

「そもそも白人至上主義のような人種差別は人為的に生み出したもので、規則や法律の徹底で徐々になくなる」という、核心を突いた反論で20点。さらに歴史的事実を用いてしっかりサポートしているので20点ゲット！

❼ Laine　計40点 ▸▸ 反論20点/立論20点

規制があっても難しいと、Meyerの意見に反論しているので20点。また人間には、他よりも秀でたい欲求があるという核心を突いた強いポイントを述べているので20点獲得です。

❽ Meyer　計20点 ▸▸ 反論20点/サポート0点

差別の根源を教育によってやがて断ち切ることができるという強い反論をしているので20点。しかしそのサポートはないので加点なしです。

“相手の主張の核心を突いた
強い反論をしよう！”

Step 5 トピック７のまとめ

いよいよアーギュメントの結果発表です！

「人種差別撤廃の可能性」の強いキーアイディアはこれだ！

賛成 	① Increasing mutual understanding between people can eventually eliminate racial discrimination. （人々の相互理解でいずれは人種差別をなくせる）
	② Tightening regulations and laws can eliminate racial discrimination. （規制や法律を強化することで、人種差別をなくすことができる）
	③ Teaching children the right values from an early age can eliminate racial discrimination. （早いうちから子どもに正しい価値観を教えることにより人種差別をなくせる）
反対 	① The uncontrollable natural human desire to feel superior to others will cause racial discrimination.（他者よりも優位でありたいと思う制御できない人間の欲求で人種差別はおきる）
	② In-group favoritism due mainly to fear of the unknown will cause racial discrimination. （未知のものを恐れることからくる身内ひいきで人種差別はおきる）
	③ The deep-rooted social structure of white supremacy makes it difficult to eliminate racial discrimination. （根深く残る白人至上主義の社会が人種差別の根絶を難しくしている）

議論のための表現力 UP ③「妨げる・害する」

□ **undermine** ポイント 徐々に効果・権力・能力を弱体化し蝕んでいく

Cloning humans can undermine the human dignity.
（ヒトのクローンを作ることは人間の尊厳を蝕む恐れがある）

□ **hamper** ポイント 物事の発生や通常の発展を妨げたり困難にする

The total ban on cloning would hamper scientific development.
（クローンの全面禁止は科学の発展を妨げることになるだろう）

□ **threaten** ポイント 望ましくない破壊や害につながる恐れがある

Cloned foods may threaten the health of people.
（クローン食品はヒトの健康を脅かす恐れがある）

□ **exacerbate** ポイント 問題や悪い状況をさらに悪化させる

Cloning is likely to exacerbate the problems of environment.
（クローンは環境問題をさらに悪化させる可能性がある）

□ **prevent** ポイント 物事の発生を未然に防いだり、活動の継続を停止させる

Traffic rules prevent accidents.（交通規則は事故を防いでいる）

□ **disturb** ポイント 活動をさえぎったり、通常の状況を乱す

My sleep was disturbed by the noise.（睡眠が騒音によって妨げられた）

□ **interrupt** ポイント 突然割り込み、会話や物事の進行を一時的に妨げる

Rain interrupted the game for half an hour.（雨で試合が 30 分中断した）

□ **block** ポイント 物理的に人や物の動き、物事の発展や成功を妨げる

The overturned car is blocking the road.（横転した車が道を塞いでいる）

□ **distract** ポイント 今しようとしていることから人の注意をそらす

Her studies were distracted by the noise of the construction site.
（彼女の勉強は建設現場の騒音によって妨げられた）

TOPIC 8

移民規制の是非を議論！

Should developed countries promote tight immigration policy?

高齢化社会の救い主か
社会に混乱を招くのか？

難易度 ★★★☆
論争度 ★★★★
ジャンル 政治

Step 1 背景知識を日本語でInput！

近年、移民の流入が欧米各国で問題となっています。移民流入で既存市民の働き口が減少するという不安、移民が医療や教育のタダ乗り（the free rider problem）をしているのではという怒り、そして移民が犯罪に走るかもしれない、中にはテロリストが交じっているかもしれないという恐怖。移民受け入れにこれまで熱心だった国々でこのような鬱積した感情が高まっており、移民排斥を訴える民族主義的な政党（ethnocentric political parties）が躍進しています。

実は移民もさまざまです。日本で移民というと祖国を離れ他国に永住する人と思われがちですが、これは移民の一形態に過ぎません。日系ブラジル人のように、親の国（日本）でしばらく働いた後、母国に戻る人々もいます（循環移民 circular migration）。迫害を受け他国へ逃れる人は難民（refugees）ですが、難民から通常の労働移民への転換も起こります。このように移民は国際的な人の移動（international migration）として捉える必要があります。

訪日外国人観光客は近年増加の一途で、2019年には約3188万人に到達し騒がれていますが、日本に住む外国人は総人口の約2.2%でOECD平均の約8%と比べかなり低いのです（ドイツ13.1%、イギリス9.0%、アメリカ6.9%、韓国2.4%、いずれもOECD、2019年）。一方、日本で働く外国人の絶対値が近年増加していることは事実です。コンビニや飲食店など人手不足に悩む業界が、週28時間までの労働が許可された外国人留学生を大量に雇用したり、農場や工場が技能実習生（technical intern trainees）を実質的な労働力として利用したりしている現状があり、2020年時点で172万人近くの外国人が雇用されています。確かに日本は、単純労働者（unskilled laborers）は受け入れてきませんでしたが、実質的な移民労働者は確実に増加しています。さらに日本政府は介護や医療分野の労働移民を増やし、期限付きで実質的に単純労働者の受け入れも認める方針です。しかし日本語の学習面や習慣面の支援など、移民と共生するための制度が不十分であり、拡充が急がれます。

Step 2 ／ 背景知識を英語でInputし、さらに問題意識をUP!

パッセージを読んで、以下の質問について考えてみましょう。

❶ なぜ人は国境を越えて移動するのでしょうか？

❷ なぜ一部の人は移民を歓迎しないのでしょうか？

The **migration** of human beings is nothing new. People have always moved to another country to seek better lives or to escape from war and persecution. Then what problems have been caused by recent growing immigration? First, it is not as easy to cross borders as it once was. Modern nations became **divided** by strictly controlled borders. So immigrants are considered as **illegal migrants** or **intruders** if they don't have **appropriate** documents. Second, the cost of accepting immigrants is a burden on host countries. Modern states provide a variety of public services to residents such as **health care**, **pensions**, and **public education**. Citizens regard newcomers as free riders because they pay little tax. While businesses in such sectors as service and manufacturing industries tend to welcome those workers from other countries, newcomers experience a **backlash** from local residents.

日本語訳

人間の**移住**は、最近始まったことではありません。❶人々はよりよい生活を求めるため、戦争や迫害から逃れるために他国へ移動してきました。では、近年ますます盛んになる移民はどんな問題を引き起こしているのでしょうか。まず、かつてほど国境を越えるのは簡単ではありません。近代国家は厳格に管理された国境線により**分割されて**いるので、**正規の**必要書類を持たない移民は**不法移民**あるいは**侵入者**と呼ばれます。次に、❷移民を受け入れる費用は受け入れ国にとって負担となります。現代の国家は**医療**や**年金**、**公教育**などさまざまな公共サービスを住民に提供しています。新住民は税金をほとんど払っていないので、利益にただ乗りしていると思う市民もいます。サービス産業や製造業などの業界は他国からの労働者を歓迎する傾向にある一方、移民は地元の住民からの**反発**にさらされます。

「移民規制」を議論するための表現力を *check!*

- □ 移民推進政策 an open-door immigration policy
  ⇔ 移民反対政策 a closed-door immigration policy
- □ 安全性への潜在的脅威を予防する counter potential security threats
- □ 受入国の文化アイデンティティを保つ
  preserve the cultural identities of the recipient countries
- □ 政府の経済負担を減らす reduce a financial burden on the government
- □ 世界平和実現努力を阻む hamper the efforts to achieve world peace
- □ 受入国の革新的成長の妨げとなる
  hinder the innovative growth of the recipient countries
- □ 税収入の減少 a decline in tax revenue
- □ 労働人口の減少 a shrinking working-age population
- □ 島国根性（偏狭的なナショナリズム）を助長する
  encourage insularism (parochial nationalism)
- □ 文化の多様性を損なう undermine cultural diversity

Step 3 ダイアローグ
Should developed countries promote tight immigration policy?

以下のダイアローグでは、2人の意見のポイントは何か、話が**かみ合っているか、改善すべき点は何か、どちらが強いアーギュメントか**を考えながら読みましょう。

❶ **Laine**

Former President Trump once attempted to build a wall along the border with Mexico. It's totally unfair! It is immigrants that have made the U.S., but it seems that many Americans today forget the fact that the U.S. is a country of immigrants. Developed countries should welcome more immigrants to promote the national economy and world peace.

強いポイントとそれたサポートで25点

❷ **Meyer**

Well, that seems too idealistic. Accepting immigrants is not always effective in vitalizing the economy. Let's think about crimes committed by immigrants. Immigrants are more likely to be criminals, according to statistics. Therefore, I don't think we should accept more immigrants **at the expense of** the peaceful lives of **law-abiding** citizens.

弱い別ポイントと不十分なサポートで10点

日本語訳　移民規制の是非を議論！

❶ **Laine**

トランプ前大統領がメキシコ国境沿いに壁を造ろうとしたけれど、まったく不公平な話です。移民こそがアメリカを造ったのに、多くのアメリカ人は、アメリカが移民の国だということを忘れてしまったみたいです。先進国はもっと移民を受け入れ、経済を活性化させて世界平和につなげるべきだと思います。

❷ **Meyer**

それは理想主義的に思えます。移民の受け入れが経済活性化にいつもいいとは限りません。移民による犯罪を考えてみてください。統計によると、移民は犯罪者になる可能性が高いです。したがって、きちんと法律を守る市民の平穏な生活を犠牲にしてまで、移民を受け入れるべきではないと思います。

ダイアログで英語表現力 *UP!*

□ **at the expense of ～**（～を犠牲にして）

expense の代わりに cost や sacrifice も使われる。

□ **law-abiding**（遵法精神のある）

abide は元々「留まる」「住む」の意味。「我慢して受け入れる」、「守る」の意味にもなる。「従う、遵守する」の意味では前置詞の by を伴うことが多い。abide by social norms（社会規範を守る）

❸ **Laine**

Even if some immigrants behave badly, accepting immigrants is beneficial to many countries, including Japan, which has been experiencing a rapid aging of its population. Under the circumstances, immigrants can make up for serious labor shortages and enliven shrinking local economies.

別の強いポイントとサポートで40点！

❹ **Meyer**

I wonder how easily people from different cultures can adapt to rural Japan. I'm afraid that they will be isolated from the local community. That will not improve the **sagging economy** or revive cultural traditions. Another problem is that, if they get jobs especially in big cities, it will lead to an increase in unemployment.

弱い反論と弱いサポート、弱いポイントで20点

❺ **Laine**

I disagree. A lot of businesses in urban areas need more workers, especially in service and manufacturing industries. As for immigrants heading to the countryside, most of them will fit into the host community by learning its language and culture. They might flock together at first, but the second generation will go native and perfectly integrated into the local community. Who else wants to settle in rural areas? Therefore, we must help them **assimilate into** Japanese society by providing more support.

強い反論、弱い反論とサポートで40点

❸ Laine

たとえ悪いことをする移民がいても、移民の受け入れは日本を含む急激な高齢化に直面している多くの国には有益です。このような状況で、移民は深刻な労働力不足を補って、縮小する地域経済を活性化してくれます。

❹ Meyer

異なる文化の人々が簡単に日本の田舎に適応できるか疑問です。地域コミュニティーから孤立してしまうのではないかと心配です。そうなると､停滞する経済をよくすることにはなりませんし、伝統文化を復活させることにもなりません。また、移民が大都市で仕事を見つけると、失業率が上がってしまいます。

❺ Laine

私はそうは思いません。特にサービス業、製造業といった、都会の多くの産業は働き手を必要としています。田舎に行く移民については、言葉と文化を学ぶことで、大半は受け入れ先にうまく適応していくと思います。最初は群れてしまうかもしれませんが、第2世代は土着化して地元に完全に一体化すると思います。田舎に定住したいと思う人は他にいませんよ。だから、支援を充実させて日本社会への同化を助けないと。

ダイアローグで英語表現力 *UP!*

□ **the sagging economy**（停滞する経済）

sagはたわむこと。似た意味では､stagnant（よどんだ）､sluggish（のろく活気のない）､faltering（よろめく）などがeconomyとよく結びつく。

□ **assimilate into ～**（～に同化する）

assimilateは食物などを「消化吸収する」の意。類似表現としてダイアローグにはfit into ～（～に合うようになる）、be adapted to ～（～に適応する）、be integrated to ～（～に統合される）も登場する。

❻ **Meyer**

I see your point, but I'm afraid immigrants will **dilute** our **traditional cultures** which I believe must be definitely preserved. An influx of newcomers will seriously undermine our cultural traditions including nature worship and visits to shrines and temples.

強いポイントと強いサポートで40点

❼ **Laine**

Well, I'm not saying Japan should start accepting millions of immigrants from this year on. I'm just pointing out that the country's immigration policy is far from welcoming to foreigners who really like Japan and want to settle here.

直接反論せず、論点をずらしているため、0点

"私の出身国であるドイツは、「移民大国」と呼ばれるほど移民の受け入れが活発で、2020年には「専門人材移民法」が施行されました。"

❻ Meyer

言いたいことはわかりますが、絶対に残さないといけないと思う伝統文化を移民たちが弱めてしまうのではないでしょうか。移民が殺到したら、自然崇拝や、社寺を訪れるといった文化的伝統がひどく損なわれることになってしまいます。

❼ Laine

何百万人もの永住者を今年から日本が受け入れろとは言っていませんよ。この国が本当に好きで、ここに住み着きたいという思う外国人に対して、この国の移民政策は、かなり冷たいと指摘しているだけです。

ダイアローグで英語表現力*UP!*

□ **dilute traditional cultures**（伝統文化を弱める）

dilute は別の要素を加えて「薄める、希釈する」の意。adulterate（混ぜ物で品質や純度を落とす）はより否定的な意味を持つ類義語。

Step 4 ／ アーギュメントをJudge!

いかがでしたか？　今回は、Meyer が賛成、Laine が反対の立場でした。それでは英悟の超人 Ichy Ueda による講評を見てみましょう。

▶本文 pp. 118 〜、日本語訳 pp. 119 〜

❶ Laine　計 25 点 ▶▶ 立論 20 点 / サポート 5 点

「国の経済発展と世界平和のために、先進国は移民を迎えるべき」という強いポイントを述べています（20 点）。ここで本来なら、「移民のおかげでいかに国の経済が発展してきたか」をアメリカやドイツなどの例を挙げてサポートとして述べるべきです。しかし、「アメリカは移民でできた国なのに、移民を排斥しようとしているのは不公平」と、アメリカに限定してしまっており必ずしも世界に当てはまるとは限らず、よくないサポートなので 5 点。このサポートは、「経済が悪いときだけ移民を締め出すのは unfair で unethical だ」のように述べると、別のポイントとして扱うことができます。

❷ Meyer　計 10 点 ▶▶ 反論 0 点 / 立論 5 点 / サポート 5 点

「移民は経済活性化に必ずしも効果的ではない」という部分ですが、not always だと「経済効果がある」と認めていることになり、反論になっていません（0 点）。**別ポイント**として、「移民は（国民より）罪を犯すという統計」を出し、「市民の平穏を犠牲にしてまで移民を受け入れるべきでない」と述べていますが、外国人凶悪犯の割合は国民よりむしろ低いという専門家の意見もあります。出典の明示されていない統計に頼って「断定しすぎる」のは危険です。貧しい移民は犯罪者になる可能性もありますが、移民を十把一絡げにして犯罪者扱いする論は弱く（5 点）、サポートも弱い（5 点）ので計 10 点。ここは「治安を悪くする可能性がある」程度にしてとどめておくべきです。

❸ Laine　計 40 点 ▸▸ 反論 0 点 / 立論 20 点 / サポート 20 点

「移民は犯罪率を上げる」という論点に対しては、うまく反論できていません（0点）。ここでは、まず、“It's an oversimplification to associate immigrants with criminals. Some experts say that the ratio of non-Japanese felons is smaller than that of Japanese felons. The mass media tend to exaggerate heinous crimes committed by foreigners.”（移民と犯罪を結びつけるのは単純化しすぎだ。専門家の一部には、外国人凶悪犯の割合は日本人のそれより低いという人もいる。マスコミは外国人による凶悪犯罪を強調する傾向にある。）のようにしっかりと反論してから、次のポイントへ移るべきです。別ポイント「日本のように高齢化に直面する国に移民は有益」は非常に強く（20 点）、「労働力不足を補って縮小する地域経済を活性化する」というサポート（20 点）もあるので、合計 40 点ゲット！

❹ Meyer　計 20 点 ▸▸ 立論 10 点 / 反論 5 点 / サポート 5 点

「労働力不足を解消する」点に関しては、rural Japan に特化して反論しており弱いので 5 点。本来、日本全体に当てはまるように反論すべきです。「地域で孤立する」というサポート部分は、“Immigration can cause cultural conflicts.”（移民は文化的衝突を起こす可能性がある。）というポイントが抜けているので弱いです（5 点）。また「移民の孤立」と「経済活性化につながらない」の関連が説明できていません。「移民が孤立すると地域社会との連携が取れず、生産性が上がらないので経済活性化へつながらない」などと順を追って論理の階段を上る必要があります。もうひとつのポイント「都会の失業率の増加」を if ～の条件付きで述べようとしていますが、条件付きなので非常に弱いポイント（10 点）です。またそのサポートはありません。

❺ Laine　計40点 ▸▸ 反論30点/サポート10点

「失業率の増加」に関しては、「製造・サービス業では労働者を必要としている」と反論しています（20点）。「移民の孤立」に関しては、「田舎では孤立しない」と反論し（10点）、「第2世代は地元のコミュニティーに溶け込む」とサポートもあります（10点）。しかし「都会での孤立」については反論できていないので弱いです。

❻ Meyer　計40点 ▸▸ 立論20点/サポート20点

相手の論を、I see your point（なるほど）と認めた後で、「移民が伝統文化を弱める」という強い別ポイントを述べ（20点）、日本の自然崇拝や社寺訪問を例に挙げた強いサポートをしています（20点）。合計40点ゲット！

❼ Laine　計0点 ▸▸ 反論0点/サポート0点

❻Meyerが言及した「伝統文化の変容」の懸念に対して直接反論しないまま、「何百万人もの永住者を、いますぐ日本が受け入れろとは言っていない」と、論点をずらしているので、0点。“Since culture is generally acquired, immigrants can absorb those cultural characteristics through educational programs without damaging local culture.”（文化は後天的に習得されるものなので、教育プログラムを通じて、移民も伝統文化を壊すことなく吸収することができる。）などと反論するとよいでしょう。

“理由を説明するときは
順を追って論理の階段を
上がって行こう！”

Step 5　トピック 8 のまとめ

いよいよアーギュメントの結果発表です！

VS

Laine
反対
105点

「移民規制」の強いキーアイディアはこれだ！

 賛成 	① It can preserve cultural identities and traditions of recipient countries. （受入国の文化的アイデンティティーや伝統を守ることができる）
	② It can reduce financial burden on the government. （政府の財政負担を軽減することができる）
	③ It will reduce crime rates in recipient countries. （受入国の犯罪率を下げることができる）
反対 	① It will hamper the innovative growth of recipient countries. （受入国の革新的な成長を妨げることになる）
	② It will aggravate the problems of aging society. （高齢化社会の問題を深刻化させる）
	③ It will undermine cultural diversity and enrichment. （文化の多様性や豊かさが損なわれる）

★ First Round ★

Game No.2

結果発表

4つのトピックを通しての、2人の合計得点を見てみましょう。

5 Should animal testing be promoted?

55点 VS 40点

6 Do the benefits of AI outweigh its disadvantages?

120点 VS 115点

7 Can racial discrimination be eliminated from society?

125点 VS 90点

8 Should developed countries promote tight immigration policy?

70点 VS 105点

合計

370点  350点

Leon Meyer  の勝利!

First Round

Game No.3

VS

TOPIC

9

SNSの是非を議論！

Do the benefits of social networking services outweigh its disadvantages?

10

宇宙開発の是非を議論！

Do the benefits of space exploration outweigh its disadvantages?

11

エコツーリズムの是非を議論！

Do the benefits of ecotourism outweigh its disadvantages?

12

グローバル化の是非を議論！

Do the benefits of globalization outweigh its disadvantages?

TOPIC 9

SNSの是非を議論！

Do the benefits of social networking services outweigh its disadvantages?

有益な情報源か犯罪につながる
危険なツールか？

難易度 ★★☆☆
論争度 ★★☆☆
ジャンル メディア

Step 1 背景知識を日本語でInput！

SNS（social networking services または social networking sites）とは、インターネット上で人と人とのつながりを構築するサービスやウェブサイトを指します。広義では、動画やイラストの共有サイトや、プレイヤー同士が繋がることができるソーシャルゲームもSNSに含まれます。

ワールドワイドウェブ上の初期のSNSは1994年に開始しました。現在普及しているSNSとしては、2004年にアメリカで創業したFacebook、2006年にサービスを開始したTwitter（ただし、Twitter社はSNSではないと説明しています）などがあります。2010年には、写真と短い動画の共有に特化したInstagramがサービスを開始しました。フィルター加工などによりスマートフォンでプロ並みの写真を投稿できることもあり、若者を中心に人気のあるSNSになりました。写真映りのよい（photogenic）という意味で使われるインスタ映え（Instagram worthy / Instagrammable）という新語も生まれています。2011年には東日本大震災（the Great East Japan Earthquake）をきっかけに、災害時でも安否を確認できるアプリとしてLINEがサービスを開始しました。他にも、2003年にアメリカでサービスを開始したLinkedInは、2011年に日本法人を設立し、ビジネス特化型のSNSとしてユーザー数を増やしています。

このように、世界中でSNSは便利で日常生活に欠かせないものになっている一方で、デメリットもあります。気軽に他人とつながれることにより、犯罪やネットいじめ（cyberbullying）の被害に遭ったり、SNS依存（social networking addiction）に陥ったりすることもあります。また、タグ付け（tagging）することにより、個人情報の流出などの問題が起こることがあります。（※タグ付けとは、写真に写っている人物のプロフィールへとつながるリンクをつけること。“tag ～ on Facebook”「～をFacebookでタグ付けする」のように使う。）また、2018年にはFacebookの膨大なデータの不正流用（massive data scandal）が発覚し、大きな問題となりました。

Step 2 ／ 背景知識を英語でInputし、さらに問題意識をUP!

パッセージを読んで、以下の質問について考えてみましょう。

❶ SNSはどのようなことを可能にしますか。

❷ SNSは世界のどれくらいの人々に広がっていますか。

A social networking site, or a social networking service, often abbreviated as an SNS, is an Internet-based tool for communication. The SNS enables users to transmit and receive information, share photos, search for friends, and communicate with people through messaging and chat functions. This function also allows users to connect with people all over the world, and interact with them in an instant.

Nowadays, the SNS is becoming an indispensable part of many people's daily life. Statistics show that the number of active SNS users around the world is approximately one-third of the world's population. Besides, an increasing number of people prefer using smartphone-based SNSs to sending regular e-mails as a means of communication both officially and privately.

日本語訳

ソーシャルネットワーキングサイト、またはソーシャルネットワーキングサービスは、よくSNSと略されますが、インターネットベースのコミュニケーションのツールです。SNSにより、ユーザーは情報の送受信、写真の共有、友達の検索、またメッセージ機能やチャット機能によって人々とコミュニケーションをとることができます。また、この機能により❶瞬時に世界中の人々とつながり、やり取りをすることが可能です。

近年、SNSは多くの人々の日常生活にとって不可欠な部分となりつつあります。統計によれば、❷世界中のアクティブなSNSユーザーの数は世界の人口のおよそ3分の1です。さらに、ますます多くの人々が、公私ともにコミュニケーションの手段として通常のEメールを送るよりもスマートフォンベースのSNSを使う方を好みます。

「SNS」を議論するための表現力を *check!*

- □ ユーザー間の有益な情報拡散を促進する promote the dissemination of useful information among users
- □ ユーザー間の人間関係を深める promote human relationships among users
- □ コスト効率のよい宣伝媒体 a cost-effective advertising medium
- □ ビジネスと経済を促進する boost business and the economy
- □ 個人情報の流出が起こる cause a leakage of personal information
- □ 嘘のニュースや情報を伝達する spread fake news or false information
- □ ユーザーは病みつきになる cause addiction among users
- □ ネット犯罪の危険を伴う carry the risk of online crimes
- □ なりすまし犯罪や詐欺 identity theft and fraud
- □ ネット上のいじめ cyber bullying

Step 3 ダイアローグ
Do the benefits of social networking services outweigh its disadvantages?

以下のダイアローグでは、2人の意見のポイントは何か、話が**かみ合っているか、改善すべき点は何か、どちらが強いアーギュメントか**を考えながら読みましょう。

❶ **Lim**

We had a wonderful time at the festival today. Oh, I'll **post** the photos I took today **on** SNS.

❷ **Rosi**

Wait a minute! I don't want to be identified. I feel uncomfortable that what I did today is known to strangers. Please **pixelate** or conceal my face before posting them.

ポイントがなく、ペーソスに訴えたサポートのみで10点

❸ **Lim**

I got it. I've just wanted to share the information about the event we enjoyed. I've wanted to let everyone know about the festival to be held until tomorrow. The SNS is convenient because it allows users to transmit information immediately.

強いポイントを述べてはいるが、サポートが個人限定で弱く30点

日本語訳　SNSの是非を議論！

❶ **Lim**

今日はお祭り楽しかったですね。あっ、今日撮った写真をSNSに投稿しよう。

❷ **Rosi**

ちょっと待ってください！　私は個人を特定されるのが嫌なんです。知らない人に、自分の今日の行動を知られるなんて不快です。顔にモザイクをかけるか顔を隠してから投稿してくださいね。

❸ **Lim**

わかりました。私はただ楽しかったイベントの情報をシェアしたかっただけなのです。お祭りは明日まで開催されるから、みんなにお知らせしたかったのです。SNSは情報をすぐに発信できるから、便利です。

ダイアローグで英語表現力UP!

□ **post ～on…**（～を…に投稿する）

ここでのpostは「投稿する」という動詞で、post ～ on Instagram（Instagramに～を投稿する）のように使う。

□ **pixelate**（～の画素をぼかす）

pixelateはpixel（画素）の動詞形で、「ピクセル化する（方形模様を重ねて画素をぼかす)」、つまり「モザイクをかける」の意。

❹ Rosi

Yeah, as you say, SNS is an effective tool for sending information about various events in real-time. But at the same time, we must be careful because unreliable, false information is often transmitted on SNS in real-time.

反論はできていないが、別の強いポイントを述べているので20点！

❺ Lim

I think that false information is rare on SNS! It's meaningful as we can build good relationships with many people. So, don't worry. I have four SNS accounts.

反論と、別の強いポイントを述べているが、双方のサポートがなく40点

❻ Rosi

Only one SNS account is enough for me. I just use it as a business chat tool with my colleagues. If we have many SNS accounts, it affects our daily life negatively. You're **frittering away** so much time each day on the **newfangled** technology that you are such an SNS junkie!

ポイントは強いが、サポートが弱いため、30点

❹ Rosi

確かにSNSはリアルタイムでさまざまなイベント情報のお知らせをするのに効率のいいツールですね。でも同時に、SNSではリアルタイムで信頼できない嘘の情報が流れることもとても多いから気をつけないといけないですが。

❺ Lim

SNS上にそんなに嘘の情報はないと思います！　たくさんの人たちとのよい関係が作れて有意義です。だから、心配はしなくていいと思います。私は4つのSNSをやっています。

❻ Rosi

私にはSNSはひとつだけで十分です。同僚とビジネスチャットツールを使うだけです。たくさんのSNSアカウントを持ちすぎると、日常生活に支障をきたしますから。あなたは、最新式の技術に1日の多くの時間を費やしすぎて、SNS依存になっていますよ。

ダイアローグで英語表現力 *UP!*

□ **fritter away**（〜を浪費する）

time（時間）、money（お金）などに使える。"Don't fritter away your allowance."（こづかいを無駄遣いするな。）のように使う。

□ **newfangled**（最新式の、流行の）

「目新しいだけの」と否定的に使われることがある。

❼ Lim

You're **blowing out of proportion**! What do you mean by so much time? I only access SNSs three times a day. Besides, SNSs bring many benefits to society. You know, an **atrocious** serial killer was arrested last month because of his tweets.

弱い反論と別の不明確なポイントだが、強いサポートがあるので30点

❽ Rosi

But that murder occurred because the criminal and the victim met through SNS, didn't it?

ポイントがなく、サポートのみ述べているため20点

❾ Lim

You've got me there. But, look at this post on dog adoption! Thanks to SNS, puppies are adopted by new families. Isn't it wonderful to expand your network?

反論できず、別ポイントはなくサポートのみなので、20点

❿ Rosi

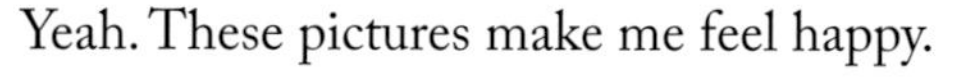

Yeah. These pictures make me feel happy.

❼ Lim

大げさですね！　それに時間を費やしすぎってどういう意味ですか？　私は1日に3回しかSNSにアクセスしていません。それに、SNSには社会にとって利点がたくさんあります。ほら、凶悪な連続殺人犯がツイートのおかげで先月逮捕されたでしょう。

❽ Rosi

でも、あの殺人事件はSNSで犯人と被害者がつながったせいで起こったんですよね。

❾ Lim

確かにそうかもしれないですが。でも、この犬の譲渡会の投稿を見てください！　SNSのおかげで子犬たちが新しい家族にもらわれるのです。ネットワークを広げることは素晴らしいと思いませんか？

❿ Rosi

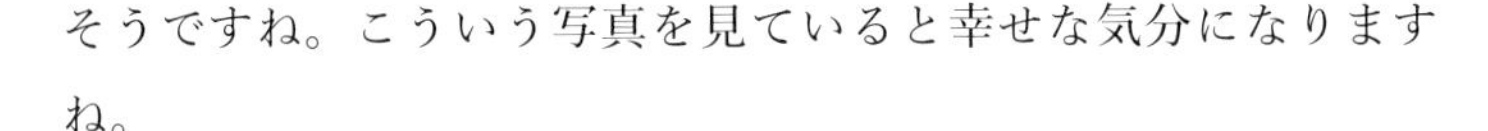

そうですね。こういう写真を見ていると幸せな気分になりますね。

ダイアローグで英語表現力 *UP!*

☐ **blow out of proportion**（実際より誇張する、大げさにする）

☐ **atrocious**（極悪な、残虐な）

ラテン語起源で“atroc-”（冷酷な）+“-ous”より。an atrocious crime（極悪犯罪）、atrocious weather（とてもひどい天気）のように使う。

Step 4 / アーギュメントをJudge!

いかがでしたか？　今回は、Lim が賛成、Rosi が反対の立場でした。それでは英悟の超人 Ichy Ueda による講評を見てみましょう。

▶本文 pp. 134 ～、日本語訳 pp. 135 ～

❷ Rosi　計 10 点 ▶▶ 立論 0 点／サポート 10 点

ここでは「個人を特定されたくない」と自分のことだけを述べており、“SNS leads to an invasion of privacy.”（SNS はプライバシーの侵害につながる。）というポイントが抜けています。「社会全体にあてはめて論ずる」というアーギュメントの原則に違反しており、0 点。また、サポートは、「知らない人に自分の行動を知られたくない」と、再び個人の事例のみで弱いですが、ペーソスに訴えているので、10 点。

❸ Lim　計 30 点 ▶▶ 立論 20 点 / サポート 10 点

「SNS は情報を瞬時に伝えることができて便利」という強いポイントを述べているため、20 点。サポートは「祭りの情報をみんなで共有したい」という「自分の思い」を述べているだけで弱いので、10 点。

❹ Rosi　計 20 点 ▶▶ 反論 0 点 / 立論 20 点

“SNS is an effective tool for sending information”（SNS は情報伝達に効果的）と相手に同意してしまったので、反論点は 0 点です。別の強いポイントとして “SNS can transmit unreliable, false information”（SNS は、信頼できない情報や誤った情報を流す）と述べているので 20 点ゲット！

❺ Lim　計40点 ▸▸ 反論20点/立論20点/サポート0点

「SNS上にそんなに嘘の情報はないと思う」と反論しています（20点）が、情報の信ぴょう性について、サポートはありません（0点）。具体例としては、"For example, when there's a natural disaster, TV news programs often broadcast videos found on SNS to transmit real-time information. That means TV producers consider the information credible."（例えば自然災害の際に、リアルタイムの情報を伝えるため、テレビのニュース番組はよくSNSで発見した映像を放送する。つまり番組制作者がその情報を信ぴょう性があると考えているのである。）などとサポートしていくと、説得力が増します。また、「多くの人たちとよい関係が構築できて有意義」と別の強いポイントを述べているので20点ゲット！　ただし最後の「自分はSNSアカウントを4つ持っている」というのは、「個人の事例」でサポートにはなりません（0点）。

❻ Rosi　計30点 ▸▸ 立論20点／サポート10点

"You're frittering away so much time each day on the newfangled technology"（目新しいテクノロジーに時間を浪費している）という強いポイントを述べており、20点。主語は「主観的な」You（君は）ではなく、Some peopleにして、「一般社会現象」として冷静に述べると説得力が増します。サポートは、an SNS junkie（SNS依存）、affect our daily life negatively（日常生活に悪影響を与える）と述べていますが弱いので、10点。どれくらい時間の浪費になっているかの数値など、具体的なサポートを入れると強くなります。

❼ Lim　計30点 ▸▸ 反論10点/立論0点/サポート20点

「時間の浪費」に対して、That's not so serious.（そんなに深刻なことではない）という意味の "You're blowing out of proportion!"（大げさだ！）と言っているだけなので10点。その後も、「自分は1日3回だけアクセスしている」と自分の例を提示しているのみでサポートとは言えません（0点）。bring many benefits to society（社会へ多くの利益をもたらす）という別ポイントは、賛成理由のすべてにあてはまってしまい、ポイントが不明瞭です（0点）。本来なら、"It helps solve various crimes."（さまざまな犯罪を解決する手助けとなる。）とポイントを述べ、「凶悪な連続殺人犯がツイートのおかげで逮捕された」という強いサポート（20点）につなげるべきです。

❽ Rosi　計20点 ▸▸ 立論0点/サポート20点

具体例（サポート）から始まり、ポイントを述べていません。"SNS can be misused by criminals."（SNSは犯罪者に悪用される可能性がある。）というポイントをまず述べるべきです。その後に In fact, murder occurred...（犯人と犠牲者がSNSで知り合い、殺人が起こった）というサポート（20点）を続けると強いアーギュメントになります。

❾ Lim　計20点 ▸▸ 反論0点/立論0点/サポート20点

You've got me there.（なるほど。）と同意しているので、反論点なし。また、別ポイントとして、"SNS allows them to find people they need in the world."（SNSのおかげで、世界中で必要な人を探すことができる。）と述べるべきですが、ここではポイントがなく、puppiesの飼い主さがしの例しかないので、サポート点のみ20点となります。

“自分の願望ではなく
社会全体に当てはまる
根拠を述べよう！”

Step 5 ／ トピック 9 のまとめ

いよいよアーギュメントの結果発表です！

VS

「SNS」の強いキーアイディアはこれだ！

 	① It promotes the dissemination of useful information among users. （ユーザー間での有益な情報拡散を促進する）
	② It boosts business as a cost-effective advertising media. （費用対効果の高い広告媒体として、ビジネスを後押しする）
	③ It can promote human relationships among users. （ユーザー間の人間関係を円滑にすることができる）
反対 	① It causes a leakage of personal information. （個人情報の流出の原因となる）
	② It often spreads fake news or false information. （フェイクニュースや嘘の情報の伝達が多発している）
	③ It can cause addiction among users. （利用者の依存症を引き起こす可能性がある）

TOPIC 10

宇宙開発の是非を議論！

Do the benefits of space exploration outweigh its disadvantages?

人類の発展に多大な恩恵をもたらすのか
ムダなのか？

難易度 ★★★☆
論争度 ★★★☆
ジャンル 科学技術

Step 1 背景知識を日本語でInput！

「これは一人の人間にとっては小さな一歩だが、人類にとっては大きな飛躍だ。(That's one small step for man, one giant leap for mankind.)」という名言で有名な、1969年のアポロ11号の有人月面着陸（landing on the moon）から50年以上が経ちました。アメリカとソビエト連邦の冷戦の最中だった当時は、国力アピール（demonstration of national strength）のために開発競争が進み、それが宇宙開発の発展へと繋がったのです。

しかし、米ソ間の開発競争終焉後は、アメリカのアポロ宇宙船とソ連のソユーズ宇宙船がドッキングするなど、さまざまな国が協力して宇宙開発に取り組み始めました。中でもアメリカ、ロシア、カナダ、欧州宇宙機関（the European Space Agency)、そして日本の15カ国が参加する国際宇宙ステーション（the International Space Station / ISS）はその象徴でしょう。40回以上に分けて打ち上げられたパーツは宇宙空間で組み立てられ、2011年7月に完成しました。宇宙での動植物実験、新薬開発実験、天体観測などが行われています。

協調の時代を迎え、激しい競争が不要になるとともに宇宙開発の国家予算は抑えられ、開発は停滞期に入りました。そこで登場したのがアメリカの「スペースX」などのベンチャー企業です。同社は民間初の有人宇宙船をISSに接続して、存在感（a significant presence）を示しました。他にも世界中で宇宙開発に参入する企業が相次ぎ、日本においても、重さ数十キログラムの超小型衛星を開発する「アクセルスペース」などのベンチャー企業が次々に登場しています。このように宇宙開発は「官から民へシフト（shifting from the public sector to the private sector)」しています。

今や宇宙開発は、格好のビジネスチャンスの場であると同時に、台頭する中国がアメリカとの宇宙空間の覇権争い（struggle for hegemony）を激化させつつあり、かつてとは違う様相を呈しています。このような状況を踏まえ、膨大なコストがかかり、人命を危機にさらす可能性もある宇宙開発のメリット、デメリットを議論すべきでしょう。

Step 2 ／ 背景知識を英語でInputし、さらに問題意識をUP!

パッセージを読んで、以下の質問について考えてみましょう。
❶ アメリカとソ連の競争は結果的に何につながりましたか。
❷ ゴールデンレコードには何が含まれていますか。

Space exploration **fulfills** human desire to explore unknown places and discover new worlds. Moreover, it was used by the U.S. and Soviet Union to demonstrate national power, boost national morale, and strengthen military power in the late 20th century. The competition between the **superpowers** has contributed to advancement of science and technology, and space-related industries.

In 1977 two space probes named Voyager were launched into space, carrying Golden Record containing images and sounds of creatures and cultures of Earth. The Voyagers are still traveling farther from the solar system hoping to find any **extraterrestrial life** that can "read" the record.

There are pros and cons on the value of space exploration which have great scientific and business possibilities but require investment and **prohibitive** costs.

日本語訳

宇宙開発は、未知なる地を探検し新しい世界を見つけたいという人類の思いを**満たし**てくれます。さらに、20世紀後半にアメリカとソ連が国力を誇示し、国民の士気を高め、軍事力を高めるために宇宙開発は利用されました。結果的にはこの❶**超大国**間の競争が科学技術や宇宙関連の産業の発展につながったのです。

1977年にはボイジャーという2台の宇宙探査機が打ち上げられました。ボイジャーは❷地球上の生物や文化を紹介する画像や音を収めた「ゴールデンレコード」を搭載しています。ボイジャーは太陽系を遠く離れて今もまだ旅し続けており、もしかしたらそのレコードを解読できる**地球外生物**を見つけるかもしれません。

科学やビジネスでの可能性を秘めている一方で、**法外な**お金がかかる宇宙開発の意義について議論の余地がありそうです。

「宇宙開発」を議論するための表現力を *check!*

- □ 国際協力による世界平和への貢献
  contribution to world peace through international cooperation
- □ 人命を危険にさらす endanger human life
- □ 国家間の争いにつながる lead to international conflicts
- □ 国際的な友好関係を育む develop international friendship
- □ 国際宇宙ステーション the International Space Station / ISS
- □ 宇宙ゴミ space debris
- □ 宇宙への有人飛行 manned missions to space
- □ テラフォーミング terraforming
- □ 月面基地建設 colonization of the moon
- □ 地球外生命探査 the search for extraterrestrial intelligence / SETI
- □ 無重力 weightlessness 「宇宙遊泳」は spacewalk

Step 3 ダイアローグ
Do the benefits of space exploration outweigh its disadvantages?

以下のダイアローグでは、2人の意見のポイントは何か、話が**かみ合っているか**、**改善すべき点は何か**、**どちらが強いアーギュメントか**を考えながら読みましょう。

❶ **Lim**

We **made good time**! I was afraid there would be a traffic jam to the USJ because it's Sunday today.

❷ **Rosi**

The car navigation systems brought us here finding routes that avoid traffic jams. I think such satellite navigation systems are very useful, and they owe a lot to advanced space exploration. We can also enjoy satellite broadcasting, cellphone communication, and accurate weather forecasts. So, I think space exploration should be promoted.

いろいろなサポートはあるがポイントがなくて20点

❸ **Lim**

But strictly speaking, satellites are not really a space exploration technology but more like a terrestrial technology. Promotion of space exploration is so costly that governments should use the money to deal with more **urgent problems** such as poverty, **environmental degradation**, and economic recession.

弱い反論、別の強いポイントとサポートで50点

日本語訳　宇宙開発の是非を議論！

❶ Lim

思ったより早く着きましたね！　今日は日曜日だし USJ に来る道が渋滞すると思っていましたが。

❷ Rosi

カーナビのおかげで渋滞を避けたルートで来られたのです。衛星ナビって本当に役に立ちますね。これも宇宙開発のおかげだと思います。他にも衛星放送やケータイの通信、それに正確な天気予報もそうですね。宇宙開発はもっと推進すべきです。

❸ Lim

でも厳密に言えば、衛星は宇宙開発の技術ではなくて地上での技術ですけどね。宇宙開発はすごくお金がかかるから、政府は貧困や環境悪化、不況などもっと差し迫った問題解決にお金をかけるべきです。

ダイアローグで英語表現力 *UP!*

□ **make good time**（思ったより早く着く）

□ **urgent problems**（差し迫った問題）

urgent は「非常に重要で緊急の解決を要する」で、an urgent task / business / need / issue と使う。I've got some urgent tasks to finish before I leave here.（帰る前に急いで終えなければならない仕事がある。）

□ **environmental degradation**（環境悪化）

degradation は悪い状態に陥っていく過程のことで、damage, destruction の順にひどくなっていく。Land degradation is caused by drought, human activities, and the like.（土壌劣化は干ばつや人間の営みなどによって起こる。）などと使う。

❹ Rosi

No, I disagree. It may be costly, but in the long run, space exploration will bring us huge benefits. For example, many experiments conducted in space will contribute greatly to medical advances by unraveling the mechanism of various diseases.

反論とそのサポートで40点

❺ Lim

That's a very slow business. Besides, space exploration carries potential dangers. Actually, there have been some disastrous accidents that **claimed the** precious **lives** of excellent astronauts. That's a great loss for humanity as well as for scientific advancement.

軽く反論してから別の強いポイントとしっかりサポートで50点

❻ Rosi

It is true that such accidents are tragedies, but space exploration still has many advantages. It strengthens international relationships by promoting cooperation among countries. The International Space Station epitomizes that what multinational cooperation can achieve such as the promotion of world peace.

別の強いポイントとしっかりサポートで40点

❼ Lim

Still, I think launching spacecraft or satellites will generate space debris, which orbits the earth and sometimes fall to the ground. Isn't it dangerous?

反論がないが、別ポイントとまあまあのサポートで25点

❹ Rosi

そうは思いません。お金はかかるかもしれないけど、長い目で見れば宇宙開発は人間にとってとても役に立つものです。例えば、宇宙での実験はいろいろな病気のメカニズムを解明してそれが医学の発達に繋がります。

❺ Lim

そんなの気が長い話です。何より、宇宙開発は危険を伴うものです。実際、悲惨な事故が起きて、とても優秀な宇宙飛行士の貴重な命が奪われたでしょう。これは科学の発達にも、人類にとっても大きな損失です。

❻ Rosi

確かにそのような事故は悲劇だけど、やっぱり宇宙開発には利点がたくさんあります。国際協力をして国同士の関係を強くする、とか。国際宇宙ステーションは、国際協力が世界平和の推進にもつながるというよい例でしょう。

❼ Lim

でも衛星や宇宙船を打ち上げると宇宙ゴミも出るのです。地球はそのゴミに覆われているから、時々地上にも落ちてくるんです。それって危険じゃないですか？

ダイアローグで英語表現力 *UP!*

□ **claim the lives**（命を奪う）

claim は「大声で叫ぶ」から「求める」そして「(事故などが人命）を奪う」と発展した。The earthquake claimed millions of lives in the area.（その地震でその地域の非常に多くの命が失われた。）

❽ Rosi

Don't worry! That's **negligible** compared with the vast expanse of the universe. Apart from that problem, I would rather focus on extraterrestrial life. Wouldn't it be exciting if we met a real ET?

反論と別ポイントで40点

❾ Lim

I'm afraid such creatures may be hostile, not like the one in the movie. Anyway, let's go and ride the "spaceship" attraction over there!

反論のみで20点

"私の出身国であるシンガポールは、
航空宇宙関連の企業を多く擁し、
アジア随一の宇宙産業拠点と
言われています。"

❽ Rosi

心配いりません！　宇宙の大きさと比べたらほんのささいなことなのですから。そんな問題よりも私は宇宙人に興味があります。本物の ET に会えたらわくわくしませんか？

❾ Lim

宇宙人が映画に出てくるものとは違って、非友好的かもしれませんよ。とにかく、あそこのアトラクションの宇宙船に乗りに行きましょうよ。

ダイアローグで英語表現力 *UP!*

□ **negligible**（ささいな）

negligible は「(無視できるほど) 取るに足らない・ごくわずかな」。「量・誤り・被害」などと結びつき、a negligible amount（わずかな量)、a negligible mistake（取るに足らない誤り)、negligible damage（わずかな被害)、a negligible risk（わずかな危機）などがある。

Step 4 ／ アーギュメントをJudge!

いかがでしたか？　今回は、Rosi が賛成、Lim が反対の立場でした。それでは英悟の超人 Ichy Ueda による講評を見てみましょう。

▶本文 pp. 148 〜、日本語訳 pp. 149 〜

❷ Rosi　計 20 点 ▶▶ 立論 0 点 / サポート 20 点

宇宙開発のいろいろな恩恵について述べていますが、肝心のポイントがありません。ポイントとはここに挙げられている具体例を概念化したもので、例えば "Space exploration will lead to technological advancement."（宇宙開発でテクノロジーが発展する。）などと述べるとよいでしょう。故にサポート点のみ 20 点獲得です。

❸ Lim　計 50 点 ▶▶ 反論 10 点 / 立論 20 点 / サポート 20 点

「衛星は宇宙開発の技術ではなくて地上での技術だ」と言っていますが、元は宇宙開発の中から生まれたものなので、"Launches of artificial satellites sometimes fail, causing a great waste of money."（人工衛星は打ち上げ失敗の時もあり、これはお金の無駄になる。）のように反論すると、次の「宇宙開発にはお金がかかる」という発言とのつながりがよくなります。一応反論しているので 10 点。さらに宇宙開発には膨大なお金がかかるという強い別ポイントを述べているので 20 点、解決すべき差し迫った問題を列挙したサポートもよく 20 点。

❹ Rosi　計 40 点 ▶▶ 反論 20 点／サポート 20 点

Lim の言った、コストに関してきちんと反論しているので 20 点。さらに、長い目で見てその恩恵がコストに見合うという具体例を挙げて説明しています。しかしこの具体例は ❷ と同じ「科学技術の発展」のサポートになるので、立論としては認められず、サポート点のみで 20 点となります。

❺ Lim　計 50 点 ▸▸ 反論 10 点 / 立論 20 点 / サポート 20 点

こちらも Rosi の意見に軽く反論していますがサポートがないので 10 点。また、宇宙開発に伴う危険性という別ポイントで 20 点。さらに、その危険性の具体例を実際にあった事故を用いて挙げているのでとても説得力のあるサポートになっており、もう 20 点ゲット！

❻ Rosi　計 40 点 ▸▸ 立論 20 点 / サポート 20 点 / 減点 0 点

Lim の強い意見には反論できなかったですが、きちんと応答したので減点なしです。また、国際協力できるという強い別ポイントを述べているので 20 点、さらに国際宇宙ステーションの例を挙げてサポートもできているのでさらに 20 点獲得！

❼ Lim　計 25 点 ▸▸ 立論 20 点 / サポート 15 点 / 減点 10 点

Rosi の意見に反論できなかったので−10 点。しかし、新たにスペースデブリのポイントを挙げて、ある程度サポートもしているので計 35 点ゲット！

❽ Rosi　計 40 点 ▸▸ 反論 20 点 / 立論 20 点 / サポート 0 点

Lim の言ったスペースデブリの危険性に「広い宇宙ではささいなことだ」と反論しているので 20 点。しかし、そもそも宇宙ゴミが地上に落ちてくる危険性と宇宙の広さを比較することがナンセンスなので、例えば "The probability is low enough to ignore. Moreover, venture companies are developing a space debris cleaner. So, the problem will be solved soon."（その確率はとても低いので気にするほどではない。しかもベンチャー企業が宇宙ゴミを掃除する装置を開発しているからやがて解決する。）と反論するのがよいでしょう。さらに地球外生物の可能性というポイントを述べているので 20 点ゲットです！

❾ Lim　計20点 ▸▸ 反論20点

Rosiの言った宇宙人について「脅威かもしれない」と反論しているので20点ゲット！

☆この他に最近では各国で宇宙ビジネスが盛んになってきています。成長段階のものが多いですが、放送・通信衛星（broadcast satellite）や測位衛星（positioning satellite）はすでに確立されています。また人工衛星を打ち上げ、そこで撮影した地球の写真やデータを販売するビジネス「リモートセンシング（remote sensing）」には多くのベンチャー企業が参入しています。その他スペースXなどのベンチャー企業によるロケット開発（rocket development）、宇宙旅行（space travel）、宇宙太陽光発電（space-based solar power）などは、これからますます成長を続けるビジネス分野であるといえます。賛成意見のアーギュメントにビジネスチャンスが広がる（development of new business opportunities）が付け加えられます。

“解決すべき差し迫った問題を
挙げていくと主張が強くなる！”

Step 5 トピック 10 のまとめ

いよいよアーギュメントの結果発表です！

VS

「宇宙開発」の強いキーアイディアはこれだ！

賛成 	① **It contributes to advancement in science and technology.** （科学技術の発展に貢献する）
	② **It contributes to world peace through international cooperation.** （国際協力により世界平和に貢献する）
	③ **It contributes to economic development.** （経済の発展に寄与する）
反対 	① **It requires enormous costs.** （膨大なコストがかかる）
	② **It will endanger human life.** 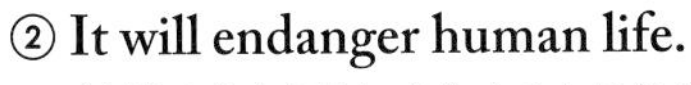 （人間の命を危険にさらすことになる）
	③ **It will lead to international conflicts.** （国際的な紛争に発展する可能性がある）

TOPIC 11

エコツーリズムの是非を議論！

Do the benefits of ecotourism
outweigh its disadvantages?

サステイナブルなのか
環境と伝統の破壊につながるのか？

難易度 ★★★☆
論争度 ★★☆☆
ジャンル 環境

Step 1 背景知識を日本語でInput！

エコツーリズム（ecotourism）とは、その地域固有の自然環境（the regional natural environment）や歴史、文化の魅力を観光客に伝えると同時に、地域経済を活性化する（revitalize the local economy）ことを目的としている旅、あるいはそのような考え方のことです。例えば、森の中でカヤックに乗って生物を観察する体験プログラム「マングローブカヤックツアー（a kayaking tour in mangrove forests）」や、温暖化で危機的状況にある氷河をめぐる「世界遺産（World Heritage）アラスカ大氷河グレーシャーベイクルーズ」、ウミガメなどの絶滅危惧種（endangered species）の観察や保護活動をするツアーなどがあります。

このようなエコツーリズムはいつから始まったのでしょうか？ 第二次世界大戦後、経済発展とともに先進諸国では人々の暮らし向きがよくなり、観光旅行が身近なものになりました。1950年代にアメリカで、1960年代にはヨーロッパで観光旅行ブームが起き、さらに1969年にジャンボジェット旅客機が就航したことで国際観光の大量化・高速化が進みました。この「マスツーリズム（mass tourism）」により、旅行者が訪問先の自然環境や社会に対して負の影響（negative impacts）も与えたという反省がエコツーリズムにつながりました。

1980年代になると「持続可能な開発（sustainable development）」が提唱され始めました。これは環境を守りつつ節度ある開発を進めようという考えであり、エコツーリズムのきっかけだと言われています。1998年には日本でも全国的な団体の日本エコツーリズム推進協議会が発足し、また国連が2002年を「国際エコツーリズム年（the International Year of Ecotourism）」と定めたことで、国際的にもすっかり定着してきました。

このように旅行を通じて環境保護の意識を高めるエコツーリズムですが、それが本当に地球にやさしい活動（an eco-friendly activity）なのか、「エコ」という言葉がひとり歩き（take on the life of its own）していないかなどの問題もあり、その是非が問われています。

Step 2 背景知識を英語でInputし、さらに問題意識をUP!

パッセージを読んで、以下の質問について考えてみましょう。
❶「環境に責任のある旅」とはどのようなものですか。
❷ なぜコスタリカがエコツアーにふさわしいとされているのですか。

Ecotourism is environmentally responsible travel to natural areas so that people can protect and appreciate nature as well as contribute to local people's **well-being**. Ecotourism provides opportunities to realize how much impact humans have on the environment.

Costa Rica in Central America is known to be the first and the best ecotourism **destination**, the **nature-rich** environment with diverse wildlife, **rain forests**, and volcanos. The government has made vigorous efforts to protect the environment and promoted ecotourism for **tourism revenue**.

With increasing numbers of eco-tourists worldwide, there have been discussions and debates about the gap between the **ideal and reality** of ecotourism.

日本語訳

エコツーリズムとは、❶自然を守りつつ満喫し、そこに住む人々の**よい生活**に貢献できる、自然地域への「環境的に責任ある旅」のことです。人間がどれだけ自然に影響を与えているのかを知る機会にもなります。

中米のコスタリカはエコツーリズム発祥の地であり、最もエコツアーにふさわしい**行先**として知られています。それは❷コスタリカにはさまざまな種類の野生生物、**熱帯雨林**や火山などがあり、**自然が豊か**だからです。コスタリカ政府は自然保護に奮闘し、**観光収入**のためにエコツアー推進に努めてきました。

世界中でエコツアーに参加する人が増える中、エコツーリズムの**理想**と**現実**の差について議論が交わされてきました。

「エコツーリズム」を議論するための表現力を *check!*

- □ 野生生物生息地について正しい理解をすすめる
  foster appreciation of wildlife habitats
- □ 受入地域の文化と生態系保護
  the cultural and ecological preservation of host communities
- □ 受入国に経済的利益をもたらす bring economic benefits to the host country
- □ 地元の雇用創出 creating job opportunities for local communities
- □ 持続可能な発展 sustainable development
- □ 生態系保護の資金を生む providing funds for ecological conservation
- □ 手つかずの自然を訪れる観光客が急増する
  dramatically increase the number of tourists into pristine areas
- □ 環境悪化 environmental degradation
- □ 崩れやすい生態系の多種多様な動植物に害を与える
  take a toll on rich diversity of flora and fauna in the delicate ecosystem
- □ グリーンウォッシング（環境配慮をうたいながらも、見せかけの環境訴求をする態度）
  greenwashing

Step 3　ダイアローグ
Do the benefits of ecotourism outweigh its disadvantages?

以下のダイアローグでは、2人の意見のポイントは何か、話が**かみ合っているか**、**改善すべき点は何か**、**どちらが強いアーギュメントか**を考えながら読みましょう。

❶ Lim

Have you made a plan for the next vacation? If you haven't, how about going to the Galapagos Islands to observe **indigenous** animals such as iguanas and giant tortoises. I found a brochure about eco-tours at a travel agency today. You are such a nature lover that you must be keenly interested in them. Environmental issues are your major concern, aren't they?

❷ Rosi

Right, but I don't think so-called eco-tours are ecofriendly. Stepping into **pristine areas** itself causes damage to the environment. It is inevitable that travelers bring and create wastes, and that will seriously undermine the ecosystem.

強いポイントとサポートで40点

❸ Lim

But the brochure says that some tours require travelers to bring back the waste they produce while traveling. I think ecotourism will greatly contribute to the environmental protection by promoting travelers' awareness of its importance.

反論と別ポイントで40点

日本語訳　エコツーリズムの是非を議論！

❶ Lim

もう次の休暇の計画は立てましたか？　もしまだならガラパゴス島に行くのはどうでしょうか？　イグアナやゾウガメなどの固有種が見られますよ。今日、旅行代理店でエコツアーのパンフレットを見つけました。絶対エコツアーに興味を持つと思います。自然愛好家だし環境問題にも興味がありますよね。

❷ Rosi

その通りです。でも私はいわゆるエコツアーというのは環境に優しくないと思います。自然が残っている場所に足を踏み入れること自体が環境を損ねるでしょう。旅行者がごみを出したり持ち込んだりすることは避けられないし、それが生態系を壊すことになります。

❸ Lim

パンフレットには旅行者が出したごみを持ち帰らないといけないツアーもあると書いてありました。エコツーリズムは旅行者のその重要性に対する認識を高めるので、環境保護にとても役立つと思います。

ダイアローグで英語表現力 *UP!*

□ **indigenous**（土地固有の）

indigenous peoples（先住民族）indigenous species（在来生物）などと使う。叙述用法では to と結びつく。類 native

Blueberries are indigenous to America.（ブルーベリーはアメリカ原産だ。）

□ **pristine areas**（自然のままの場所）

pristine は主に「状態、自然」と結びつく。a pristine condition（真っ新、新品）pristine forest（原始林）pristine wilderness（手つかずの原野）など。

❹ Rosi

Well, what do you think about building hotels and shops, **paving the roads**, or visiting eco-tour spots in vehicles? These human activities will definitely damage the natural environment.

反論なしだが別ポイントとサポートで30点

❺ Lim

There is some truth to it, but those infrastructures are necessary for host countries to attract more tourists and boost the local economy. Ecotourism will also create job opportunities for local people.

反論と別ポイントで30点

❻ Rosi

I'm afraid that environmental protection and economic growth will not be compatible. Once the environment is destroyed, it is almost impossible to restore it. A massive influx of eco-tourists to nature-rich areas will threaten the diversity of flora and fauna in the delicate ecosystem.

間接的な反論と強い別ポイントで25点

❼ Lim

But I think that local economic growth can also generate funds for ecological conservation. Isn't that sustainable development?

反論のみでサポートがないので20点

❹ **Rosi**

では、ホテルやお店を建てたり、道路を舗装したり、観光地に車で訪れることについてどう思いますか？　これらの人間の活動は絶対に自然環境を悪化させますよ。

❺ **Lim**

一理ありますね。でもそのような施設は観光客をもっとたくさん集めてその土地の経済を発展させるのに受け入れ国にとって必要なのです。エコツーリズムによって地元の人たちに仕事の機会を提供することにもなります。

❻ **Rosi**

私は環境保護と経済発展は両立しないと思います。一旦環境が壊れるとまず元通りにはできません。自然豊かなところに旅行者が押し寄せると、崩れやすい生態系の多種多様な動物や植物を脅かします。

❼ **Lim**

でも、地元の経済が発達すると、その分を生態系保護の基金に使えます。これは両立ではないでしょうか？

ダイアローグで英語表現力 *UP!*

□ **pave the road**（道路を舗装する）

pave は石・れんが・タイル・木などで道を覆って舗装すること。慣用表現で pave the way to [for] ～（～への道を切り開く）がある。

❽ **Rosi**

That might be so, but even if travelers join environmental protection activities such as afforestation, the transportation they use emits carbon dioxide (CO_2) and will cancel out the absorption of CO_2 by forests.

サポートのみで20点

❾ **Lim**

I would say it's an oversimplification. If you take a long-term view, the promotion of ecotourism will alleviate environmental degradation even with CO_2 emission while transferring.

反論しているが弱いので10点

❿ **Rosi**

We are getting nowhere in this argument!

“私の出身国であるスペインは、エコツアーの行き先として、ドニャーナ国立公園やシエラネバダ国立公園などが有名です。”

❽ **Rosi**

そうかもしれませんね。でもたとえ旅行者が植林などの環境保護活動に参加したとしても、移動で使う乗り物は二酸化炭素を出すので CO_2 の量は相殺されてしまいます。

❾ **Lim**

それはちょっと短絡的ですね。長い目で見れば、エコツーリズムがもっと進むと移動中に CO_2 を排出しても環境悪化を緩和するようになります。

❿ **Rosi**

話になりませんね！

Step 4 アーギュメントをJudge!

いかがでしたか？　今回は、Lim が賛成、Rosi が反対の立場でした。それでは英悟の超人 Ichy Ueda による講評を見てみましょう。

▶本文 pp. 162 〜、日本語訳 pp. 163 〜

❷ Rosi　計40点 ▶▶ 立論20点/サポート20点

エコツアーに対する反対の立場を、「自然が残っている場所に足を踏み入れること自体が環境を損ねる」という強いポイントで主張しているので20点。また旅行者が持ち込むごみが生態系を壊すことになるとしっかりサポートしているのでさらに20点ゲット！

❸ Lim　計40点 ▶▶ 反論20点/立論20点/サポート0点

旅行者はごみを持ち帰ると言って Rosi の意見に反論できているので20点。さらに「旅行者の意識が高まって環境保護につながる」という別ポイントを述べていますが、サポートがないので20点です。また、これだけでは少し説得力に欠けるので “Compared with conventional tourism,”（従来型の旅行と比べると）などと加えて、断定し過ぎの雰囲気を弱めましょう。

❹ Rosi　計30点 ▶▶ 立論20点/サポート20点/減点10点

旅行者の意識が高まって環境保護につながるという意見に対する反論がありませんので－10点です。ここでは “It does not always lead to environmental protection itself.”（意識の向上で必ずしも環境保護そのものが実現するとは限らない。）と論を進めていく必要があります。しかし、人間の活動が自然破壊につながるというポイントを述べているので20点。さらに建設や道路工事などの具体例を挙げてサポートできているので20点ゲット！

❺ Lim　計30点 ▸▸ 反論10点/立論20点/サポート0点

Rosiの強いポイントに対して、There is some truth to it,（一理あるね）と譲歩しながらも反論しているので10点。そして、エコツーリズムによりcreate job opportunities for local people（地元の人に仕事の機会を提供する）という別ポイントを述べているので20点獲得！　ただし、サポートはないので加点はありません。

❻ Rosi　計25点 ▸▸ 反論5点/立論20点/サポート0点

Limの言った「仕事の機会を増やす」というポイントに対して、「両立できない」と間接的で弱い反論をしているので5点。しかし、自然豊かなところに旅行者が押し寄せると、生態系を脅かすという強い別ポイントを述べているので20点ゲットです。ただし、旅行者が侵入するとどのような過程で自然破壊されるのかというサポートがありません。

❼ Lim　計20点 ▸▸ 反論20点/サポート0点

Rosiの言った「環境保護と経済発展は両立しない」という意見に対して反論しているので20点ゲットです。サポートはありません。

❽ Rosi　計20点 ▸▸ 立論0点/サポート20点

Limの意見に対して、反論はしていませんがThat might be so.（そうかもしれないけれど）と対応しているので減点なし。ただし、ポイントを概念的に述べていません。“Ecotourism leads to great emission of CO_2.”（エコツアーで二酸化炭素が大量排出される。）と一般的に言ってから、具体例として森林を増やしても移動時のCO_2排出量で相殺されるとサポートする形が望ましいです。故に、サポート点のみで20点。

❾ Lim　計10点 ▸▸ 反論10点/サポート0点

反論はしていますが、サポートがなくて弱いので10点です。

☆このトピックはそもそも「旅行をするならば」という前提でなければ議論ができません。したがって**賛成意見は「従来型の旅行と比較すると」と付け加えると、説得力が増します**。また**エコツアーの効果は、エビデンスが出にくいので、説得力は反対意見のほうが強くなります**。反対のポイントはRosiの意見の他に "Ecotourism is sometimes used for commercial purposes under the pretext of 'environmental protection' without promoting any green activities." (エコツーリズムは環境保護活動をしないのに、「環境保護」という名のもとに商業目的に利用されることがある。)があります。さらに、専門ガイドの不足や「にわかアウトドア派」が不十分な知識で自然に関わることへの危険性も強い反対理由のひとつです。例えば、"Ecotourism can increase the number of human casualties during the tour." (エコツーリズムは旅行中に起きる人的被害が増える。)と言うことができます。

**"相手の強い主張に対しては
少し譲歩を示しながら
反論しよう！"**

Step 5 / トピック 11 のまとめ

いよいよアーギュメントの結果発表です！

Rosi
反対
115点

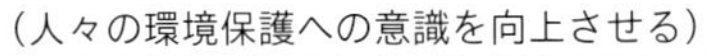

 賛成	① It will enhance public awareness about environmental protection. （人々の環境保護への意識を向上させる）
	② It will boost the economy by promoting the tourism industry. （観光産業の推進により経済が発展する）
	③ It will enlighten tourists about the local cultural traditions. （観光客に地元の文化的な伝統を伝える）
  反対	① It can cause serious damage to local ecosystems. （地域の生態系に深刻なダメージを与える可能性がある）
	② It will increase CO_2 emissions through more use of transportation. （交通機関の利用増加により CO_2 排出量が増加する）
	③ It can compromise the integrity of local cultural traditions. （地域の文化的伝統の規範が損なわれる可能性がある）

TOPIC 12

グローバル化の是非を議論！

Do the benefits of globalization outweigh its disadvantages?

世界の発展につながるか
環境破壊を生み出すのか？

難易度 ★★★☆
論争度 ★★☆☆
ジャンル 経済・文化

Step 1 背景知識を日本語でInput！

グローバル化（グローバリゼーション）の定義は多様ですが、一般的には「国境（borders）を越えて人、物、金、そして情報が飛び交う現象」を指します。近代以前には国境が曖昧なところが多く、帝国（empire）や文明圏（civilization）の単位はあっても、現在のような厳密な国境管理（border control）はありませんでした。そのような時代から、絶対量こそ現在とは違え、人の移動はそれなりにありました。孤立した国（isolated countries）と見なされがちな日本ですら、遣唐使、勘合貿易、南蛮貿易、黒船来航など、古代よりグローバル化と無縁ではありません。

現代ではグローバル化が加速し、特に第二次世界大戦後から現在まで物の貿易（trade in goods）は拡大し続けています。2カ国以上の間での自由貿易協定（the FTA / free trade agreement）などは関税（tariff duties）を引き下げ、それによって物価は下がります。国家間での人の移動も活発になり続けています。日本人の年間海外渡航者は1964年の約12万人から、新型コロナウイルス流行前の2019年には2000万人を突破し、年間訪日客は約35万人から3188万人へと激増しました。交流が活発になることで、文化面での相互理解（mutual understanding）と経済面での相互依存（interdependence）が深まり、各国が国際紛争の武力的解決を躊躇し、国際平和につながるとも期待されています。

そしてインターネットの普及により国境を越える情報の量は急増しており、今ではSNSの浸透で誰でも自分の持つ情報や意見を世界に向け発信できます。一部の国家は規制していますが、抜け穴は塞ぎきれません。

このようなメリットがある一方で、経済的に優位な国がルールを決めるため、経済格差（economic disparity）が拡大し、貧困問題はより深刻化すると言われています。経済格差の深刻化により恨みの感情が醸成されテロの遠因になります。文化面でも、英語の使用が広がることで英語圏やヨーロッパの文化的優位（cultural superiority）が当面続くと予想されます。さらにインターネットは、民族、人種、宗教に基づく憎悪を煽る集団にも利用されています。グローバル化の意義を正しく捉え冷静に対応することが必要です。

Step 2 / 背景知識を英語でInputし、さらに問題意識をUP!

パッセージを読んで、以下の質問について考えてみましょう。
❶ グローバル化の利点は何でしょうか。
❷ グローバル化の問題点は何でしょうか。

Globalization is such a **contested concept** that scholars haven't **reached consensus** over what it means. According to sociologist Anthony Giddens, it is characterized by the **intensification** of worldwide social relations, which means that what is happening in a **locality** is shaped by what is happening in distant places. Other scholars look at the compression of the world and the intensification of **borderless consciousness**. At any rate, globalization has been steadily making progress and we can no longer avoid its influences, both positive or negative. The most conspicuous advantage is improved quality and reduced prices of goods and services due to increasing flows of people and goods. On the other hand, globalization **widens economic disparity** domestically and internationally. **Multinational giants exploit cheaper labor** in developing countries, and **raise the unemployment rates** in the developed countries. While a handful of political leaders become superrich, **underprivileged people** remain **in grinding poverty**.

日本語訳

グローバル化は学者の間でもその意味が**一致して**いないほど、**議論の分かれる概念**です。社会学者のアンソニー・ギデンズによれば、それは世界的な社会関係の**激化**、つまり、**地域**で起こっていることが遠くの場所で起こっていることによって形成されるという特徴があります。学者によっては、世界の圧縮や、**国境を越える意識**の高まりだという見方を出しています。いずれにしても、グローバル化は着実に進んでおり、よい影響も悪い影響も避けることはできません。もっとも顕著な利点は、❶人とモノの流動性が高まってモノとサービスの品質が向上し、価格が低下することです。一方グローバル化は、❷国内でも国際的にも**経済格差を拡大させます**。**グローバル大企業**は発展途上国の**安価な労働力を利用する**ので、先進国の**失業率が上がり**ます。ごく少数の政治指導者が超富裕層になる一方、**貧困層**は**赤貧状態**にとどまります。

First Round ▸ Game 3

「グローバル化」を議論するための表現力を check!

□ 自由貿易推進により世界経済を成長させる
boost the world economy by encouraging free trade

□ 国境を越えた商品やサービスの取引が増える
increase cross-border trade of commodities and services

□ 発展途上国で雇用機会が劇的に増大する
create huge job opportunities in developing countries

□ 経済相互依存による世界平和を進める
promote world peace through economic interdependence

□ 生活の質が高まる enhance the quality of life

□ 文化的な豊かさと多様性 cultural enrichment and diversity

□ 多様な商品やサービスが手に入れやすくなる
increase the availability of various kinds of goods and services

□ 経済格差が拡大する widen economic gaps

□ 地元の文化や言語を弱める undermine local cultures and languages

□ 環境をさらに悪化させる exacerbate environmental degradation

□ 世界の平和と安定につながる contribute to global peace and stability

Step 3 ダイアローグ
Do the benefits of globalization outweigh its disadvantages?

以下のダイアローグでは、2人の意見のポイントは何か、話が**かみ合っているか**、**改善すべき点は何か**、**どちらが強いアーギュメントか**を考えながら読みましょう。

❶ **Lim**

Some people argue that globalization can contribute to economic development in the world by encouraging free trade. For example, more and more people have been enjoying buying cheaper products at Uniqlo, a global clothing apparel company. This is a positive effect of globalization. What do you think?

強いポイントと説明不足のサポートで30点

❷ **Rosi**

It's a matter of opinion. It's said that globalization will lead to more unemployment in both developed and developing countries because of cheaper imported products.

不正確なポイントと少ないサポートで15点

❸ **Lim**

But globalization can create more job opportunities especially in developing countries. Employment or unemployment depend on the industry in developed countries. For instance, in Japan, although the uncompetitive agricultural industry will greatly suffer, the medical industries need more foreign medical workers with foreign language communication skills because of an increasing number of foreign residents.

強い反論と強いサポートで40点ゲット！

日本語訳　グローバル化の是非を議論！

❶ Lim

グローバル化は、自由貿易を促進することによって、世界の経済発展に貢献していると言う人がいます。例えば、グローバルアパレル企業のユニクロで比較的安価な商品を買う人がどんどんと増えています。これはグローバル化のいい影響です。どう思いますか？

❷ Rosi

それは意見が分かれますね。安い輸入品が原因で、先進国、途上国ともに失業率が高くなると言われていますよ。

❸ Lim

でも、特に途上国ではグローバル化で雇用を創出できます。先進国では、雇用か失業かは産業によります。例えば日本では、競争力がない農業では雇用が落ち込むけれど、医療業界では外国語ができる外国人の医療従事者をもっと必要としています。というのも、外国人居住者が増えていますから。

ダイアローグで英語表現力 *UP!*

□ **It's a matter of opinion.**（それは好みの問題だ、人や見方による）
相手の主張に留保をつけるときの表現。(It) depends.（場合による）はよく用いられる。

❹ **Rosi**

But actually, globalization has caused industrial hollowing-out and a serious job shortage in many industries in developed countries. Besides, globalization will lead to "cultural imperialism" which will seriously undermine unique local cultures. In fact, English and American culture has dominated many aspects of our lives, diluting our traditional local cultures.

反論ルール違反、強い１つの反論、強い別ポイントと隙のあるサポートで40点

❺ **Lim**

Your confusion of globalization with Americanization is irrelevant to today's world. Globalization promotes cultural exchange and mutual understanding between various countries, which will definitely enhance cultural diversity in the world.

反論ルール違反だが、別のポイント２つで20点

❻ **Rosi**

Still, so-called Western culture, including American culture, will dominate many developed and developing countries which **runs counter** to cultural diversity. I think that globalization will bring cultural uniformity to the world.

強い反論ポイントと弱いサポートで30点

❼ **Lim**

It's anachronistic to think that globalization in the modern era **is synonymous with** Westernization or Americanization. In addition, globalization leads to global economic interdependence, which helps prevent wars, as every country finds it counterproductive to attack its trading partners.

強い反論と、強い別のポイントとサポートで60点！

❹ Rosi

でも実は、先進国では多くの業種で産業空洞化が起こり、深刻な就職難が起こっています。加えて、グローバル化は「文化の帝国主義」を進め、地元独自の文化が廃れてしまいます。実際、英米の文化が我々の生活の多くの面を占めており、地元の伝統文化が薄まっています。

❺ Lim

グローバル化をアメリカ化と混同しているけれど、今日の世界では見当違いです。グローバル化はさまざまな国の間で文化交流と相互理解を促し、世界の文化を多様なものにします。

❻ Rosi

アメリカ文化を含む、いわゆる西洋文化が多くの先進国と途上国を支配することになり、文化の多様性に反します。グローバル化で世界の文化は画一化するのではと思います。

❼ Lim

近代においてグローバル化イコール西洋化もしくはアメリカ化と考えるのは時代錯誤です。さらに、グローバル化で世界は経済的に相互に依存し合うようになり、戦争防止につながっています。貿易相手国を攻撃しても逆効果であることはどの国もわかっていますから。

ダイアローグで英語表現力 *UP!*

□ **run counter to ～** （～に逆らう、矛盾する）
「表現の自由に反する」なら、run counter to freedom of expression となる。

□ **be synonymous with ～** （～と同義で）
be equivalent/equal to ～とも言える。
synonym は「同義語」⇔ antonym は「反意語」

❽ Rosi

But globalization **contributes to** global environmental degradation. Intensifying global business competition causes ecological damage in the process of gaining financial advantages over competitors. In addition, multinational companies commit various types of social injustice such as exploitation of workers, thus widening income disparity.

反論ルール違反だが、２つの強いポイントと強いサポート１つ、弱いサポート１つで60点ゲット！

❾ Lim

There is a growing awareness about the importance of making concerted efforts to protect the global environment, as most countries in the world know that environmental protection is the key to our survival and prosperity. In addition, with the increasing importance of CSR, the situations are changing for the better in the treatment of workers.

２つのポイントへの反論はそれており０点

“私の出身国であるシンガポールは、
多様な人種で構成されており、
４言語が公用語と認められている
など、グローバル国家の代表です。”

❽ **Rosi**

しかし、グローバル化は世界の環境悪化につながっています。グローバルビジネスの競争は激化し、競争相手より経済的に優位に立とうとする過程で、生態系にダメージを与えます。また、多国籍企業は労働者の搾取などさまざまな社会的不公正を犯し、所得格差を拡大させています。

❾ **Lim**

環境保護が私たちの生き残りと繁栄の鍵であることを世界のほとんどの国がわかっており、地球環境を保護するための協調努力は重要だと意識するようになっています。また、CSRの重要性が増すにつれ、労働者の処遇の状況も変化しています。

“**相手の主張の揚げ足を取らず、**
認めつつ別の視点から反論しよう！”

ダイアローグで英語表現力 *UP!*

□ **contribute to ～**（～の一因となる、～に寄与する）

ポジティブな文脈では「～に貢献する、寄与する」となり、ネガティブな文脈では「～の一因となる」となる。後ろには名詞（句）や動名詞～ingがくる。（原形にしてしまうミスに要注意！）

Step 4 / アーギュメントをJudge!

いかがでしたか？　今回は、Limが賛成、Rosiが反対の立場でした。それでは英悟の超人Ichy Uedaによる講評を見てみましょう。

▶本文pp. 176～、日本語訳pp. 177～

❶ Lim　計30点 ▶▶ 立論20点/サポート10点

「グローバル化は自由貿易を進め、世界の経済発展に貢献している」という強いポイントを述べていますが（20点）、サポートのユニクロの例は、「安価な商品を買う人が増えた」としか述べていません。ここでは、「途上国に工場などができたり、先進国でも雇用の機会が生まれるなど、世界の経済発展につながっている」などと説明する必要があるので、10点。

❷ Rosi　計15点 ▶▶ 立論10点/サポート5点

相手の「経済発展に寄与」というポイントに対しては、It's a matter of opinion.（それは意見が分かれます。）と返してから、自分のポイントに進んでおり、反論ルールを守っています。「安い輸入品が原因で先進国、途上国ともに失業率が高くなる」という点は間違っています。先進国では**産業空洞化（industrial hollowing-out）**が起こり、失業率が高まりますが、逆に途上国では概して**雇用創出（creation of job opportunities）**につながるため、当てはまりません。よって、ここは**"more unemployment in developed countries"（先進国での失業者の増加）**と変える必要があります。ポイントは弱いので10点、サポートも少ないため5点。

❸ Lim　計40点 ▶▶ 反論20点/サポート20点

相手の論に対して、**「雇用創出につながる途上国」**と**「産業分野によって雇用創出か失業に分かれる先進国」**とに分けて正確に論じており、強い反論で20点ゲット！　先進国のサポートでは日本を例にとり、「雇用創出につながる医療業界」と、「雇用喪失につながる農業」をあげ、強いアーギュメントを展開しているので、さらに20点獲得！

❹ Rosi　計40点 ▸▸ 反論20点/立論20点/サポート10点/減点10点

「グローバル化が先進国でも、産業によっては雇用創出につながるものもある」という相手の論に対しては、「先進国では産業空洞化が起こり就職難になる」と反論しています（20点）が、本来は❷Rosiでサポートとして述べるべきでした。また、「医療のような雇用創出できる分野」という論に対しては、無視して反論できていません（反論ルール違反で－10点）。別のポイント「グローバル化は文化帝国主義（cultural imperialism）を進め、独自の地域文化が廃れる」は強いポイントなので（20点）です。「英米文化の浸透」というサポートをしていますが、In fact（実際）は強すぎて、アーギュメントに隙を与えています（10点）。ここはFor example, として、英米文化の浸透は一例であることを明示すると完璧なサポートとなります。

❺ Lim　計20点 ▸▸ 立論30点/サポート0点/減点10点

相手の論を無視して「グローバル化をアメリカ化と混同している」と揚げ足を取っているにすぎません。まず、You may be right about dilution of the local culture, but…（地域文化が薄まるというのは正しいかもしれないが…）と相手の論を認めてから、次に進むべきで、アーギュメントのルール違反で－10点！別のポイントは、「文化交流による相互理解（mutual understanding through cultural exchange）」と「文化交流による文化多様性（cultural diversity through cultural exchange）」の2つのはずですが、ここはwhichでつないで因果関係を誤って出しており、かつサポートが2つともありませんので立論を合わせて30点。

❻ Rosi　計30点 ▸▸ 立論20点/サポート10点

「cultural diversityを促す」という相手のポイントには、「グローバル化は文化の画一化（cultural uniformity）につながる」と反論し（20点）、「グローバル化＝欧米化だ」というサポートを上げています。しかし、韓国やインドなど欧米以外の文化も今日の世界では浸透しているため、弱いサポート（10点）となっています。

❼ Lim　計60点 ▸▸ 反論20点／立論20点／サポート20点

❻Rosiの「グローバル化＝欧米化」という論には、「時代錯誤だ（anachronistic）」と真っ向から反論しているので20点。ここでサポートはありませんが、前述した「韓流ブーム」などの欧米以外の文化浸透の具体例をあげると説得力が増します。また、「世界で経済的な依存関係（global economic interdependence）が生まれ、戦争防止につながる」という別のポイントは強く（20点）、「貿易相手国の攻撃（attacking on trading partners）にメリットはない」というサポートも的を射ているので20点ゲット！

❽ Rosi　計60点 ▸▸ 立論40点／サポート30点／減点10点

「グローバル化による経済相互依存が戦争を防止する」という相手のポイントを無視してButで次に話を進めています。ここは、There are some truth to it, but...（一理あるけれど）と認めてから自分の主張に移るべきです（反論ルール違反で−10点）。別の強いポイント「グローバル化は環境悪化につながる」と、そのサポートで合わせて40点。また、所得格差（widening income gap）の拡大という別の強いポイントと、弱いサポート「多国籍企業による労働者搾取（exploitation of workers by multinational companies）などの社会的不公平（social injustice）につながる」で合わせて30点ゲット！　ただし、ポイントを“Globalization can lead to widening income disparity.”と先に述べてからexploitationのサポートを述べた方がよいでしょう。

❾ Lim　計0点 ▸▸ 反論0点／サポート0点

「グローバル化は環境悪化につながる」という相手の論に対しては、「環境保護が繁栄の鍵とわかっており、環境保護の意識が高まっている」と反論していますが、グローバル化との関連を述べていないので0点。また相手のもうひとつのポイント「多国籍企業による労働者搾取」に対しても、「CSR（Corporate Social Responsibility）の高まりとともに、労働者の処遇も変化している」と反論しているつもりですが、グローバル化との関連がないので0点。

Step 5 トピック12のまとめ

いよいよアーギュメントの結果発表です！

Lim
賛成
150点

VS

Rosi
反対
145点

「グローバル化」の強いキーアイディアはこれだ！

賛成	① It contributes to the growth of the world economy by encouraging free trade. （自由貿易を推進し、世界経済成長に貢献する）
	② It contributes to world peace through economic interdependence. （経済面の相互依存によって世界平和に寄与する）
	③ It will enhance the quality of life through cultural enrichment and diversity. （文化的な豊かさと多様性を通じて、生活の質を高めることができる）
反対	① It will widen economic gaps both domestically and internationally. （国内・国家間の経済格差が拡大する）
	② It will undermine local cultures and languages. （各地域の文化や言語が損なわれる）
	③ It will exacerbate environmental degradation. （環境破壊がさらに進行する）

★ First Round ★

Game No.3

結果発表

４つのトピックを通しての、２人の合計得点を見てみましょう。

9 Do the benefits of social networking services outweigh its disadvantages?

120点　VS　**80**点

10 Do the benefits of space exploration outweigh its disadvantages?

145点　VS　**140**点

11 Do the benefits of ecotourism outweigh its disadvantages?

100点　VS　**115**点

12 Do the benefits of globalization outweigh its disadvantages?

150点　VS　**145**点

合計

515点

480点

Sofia Limの勝利!

First Round

Game No.4

VS

TOPIC

13

学校制服の是非を議論！

Do the benefits of school uniforms
outweigh its disadvantages?

14

少年犯罪のメディア公表の是非を議論！

Should the photos of juvenile criminals be made public?

15

定年退職制の是非を議論！

Do the benefits of the mandatory retirement system
outweigh its disadvantages?

16

死刑制度の是非を議論！

Do the benefits of the capital punishment
outweigh its disadvantages?

TOPIC 13

学校制服の是非を議論！

Do the benefits of school uniforms outweigh its disadvantages?

学生の人格形成に役立つのか
没個性につながるのか？

難易度 ★★☆☆
論争度 ★★☆☆
ジャンル 教育

Step 1 背景知識を日本語でInput！

中高生と言えばほとんどの人が制服姿を思い浮かべるほどすっかり日本に浸透している学校制服は、1879年に学習院で採用された海軍士官型（the navy officer-type）が始まりだといわれています。生徒同士で経済格差（economic gaps between students）を感じることなく、生徒としての帰属意識を高める（enhance a sense of belonging）ことが目的で、そのコンセプトは徐々に広まりました。戦前は詰襟型の上着（a jacket with a stand-up collar）と軍隊式の制帽（a military-style school cap）や背広型の制服（suit-style uniform）が主流で、また1920年には京都の平安女学院で日本初のセーラー服（sailor suits）が採用されました。

その後、戦中・戦後はモノ不足のため制服は下火になりますが1950年代には復活しました。1960～70年代には、制服は没個性化（undermine individuality）を招く、軍服風制服は平和主義に反するなどの議論が起き、自由服に移行する高等学校も現れ始めました。変形学生服（deformed uniform）が登場したのもこの頃で、いわば制服のファッション性への「目覚めの時期」ともいえるでしょう。

1980年代はその傾向が強まり、制服はファッショナブルなものへと進化します。従来の黒・紺色一辺倒ではなく、明るい色のブレザー、チェックのスカートやズボン（plaid skirts or pants）、カラフルなネクタイなどを採用する学校が出始め、バブル期には斬新なデザインのDCブランド制服も登場しました。

1990年代以降は、不況の影響もあり制服は「落ち着き」を取り戻します。変形学生服は減少し、ファッション性を保ちつつ無難に着こなしやすい保守的（conservative）なものが好まれるようになりました。また、女子のズボン着用を認める学校や複数の種類からデザインを選べる学校もあり、多様化（diversity）に対応してきているのが近年の制服の特徴でしょう。

海外に目を向けると、イギリスをはじめ多くの国で制服が導入されています。制服導入により非行削減（reduction of juvenile delinquency）につながった例もある一方で、個人の好みや宗教の自由を奪うと反対する意見も多くあります。

Step 2 / 背景知識を英語でInputし、さらに問題意識をUP!

パッセージを読んで、以下の質問について考えてみましょう。
❶ 学校制服のよい点にはどのようなものがありますか。
❷ なぜ戦後に学校制服について議論されるようになったのですか。

School uniforms are said to have been first introduced in the 16th century in England. Now students are required to wear school uniforms both at public and private schools in many countries. School uniforms are commonly believed to alleviate a sense of **economic inequality among students**, as well as develop discipline and **a sense of belongings**.

In the late 19th century, school uniforms were introduced in Japan by a prestigious private school. With growing democracy after World War II, school uniforms have become **a controversial issue** partly because they were thought to **stifle students' individuality**, and lead to **authoritarian education**. Recently, Japanese school uniforms have been attracting a lot of attention from people around the world because they find them very fashionable and of high quality.

日本語訳

学校制服は、16世紀にイギリスで初めて導入されたと言われています。今や多くの国で、公立、私立を問わず着用が義務づけられています。制服は普通、❶**生徒間の経済格差**の意識を緩和し、しつけができ、（生徒の学校への）**帰属意識**を高めるものと考えられています。

19世紀の終わりには、名門私立校が日本で初めて制服を採用しました。第二次世界大戦後、民主主義が高まるとともに❷制服は生徒の**個性を抑圧し**、**権威主義の教育**にもつながりかねないとして**議論が交わされて**きました。最近では、日本の学校制服はファッション性や品質の高さゆえ、世界中から注目を浴びるようになってきました。

First Round ▸ Game 4

「学校制服」を議論するための表現力を check!

- □ 学校制服着用義務化 mandatory school uniforms
- □ 規則の遵守を促す encourage conformity to the rule
- □ 生徒の成績を高める raise students' academic abilities
- □ 生徒間の平等意識を養う develop a sense of equality among students
- □ 生徒に学校への帰属意識を教え込む
  instill in students a sense of belonging to school
- □ 私服より経済的な ／ 高額の more economical / expensive than casual clothes
- □ 家計の支出を削減する reduce family expenses
- □ 生徒の個性や創造性の発達を阻む
  undermine the development of students' individuality and creativity
- □ 季節の気温変化への調整がしにくい
  lack of adaptability to seasonal changes in temperatures

Step 3 ダイアローグ
Do the benefits of school uniforms outweigh its disadvantages?

以下のダイアローグでは、2人の意見のポイントは何か、話が**かみ合っているか、改善すべき点は何か、どちらが強いアーギュメントか**を考えながら読みましょう。

❶ **Brown**

Congratulations on your daughter's passing the entrance exam for high school! Vivian must be excited about preparing for her new life. Have you ordered her new school uniforms yet?

❷ **Eichi**

Thank you! Vivian is looking forward to buying new clothes for high school. Her school doesn't have a school uniform. I wish it had because it will cost me more to buy many clothes for school life than to buy school uniforms.

立論のみで20点

❸ **Brown**

But you know, school uniforms are more expensive than other mass-produced clothes on the market. Nowadays, inexpensive clothes are available at so-called "fast fashion" shops. Moreover, students seldom wear school uniforms except in school.

強い反論としっかりサポートで40点

日本語訳　学校制服の是非を議論！

❶ **Brown**

娘さんの高校入試合格おめでとうございます！　ヴィヴィアンは新生活の準備で楽しい時期でしょう。もう制服は注文したのですか？

❷ **叡智**

ありがとうございます！　ヴィヴィアンは今、学校に着ていく新しい服を買うのを楽しみにしています。彼女の学校は制服がないのです。制服があればよかったわ。制服を買うより学校に着ていく服をたくさん買う方が高くつくでしょう。

❸ **Brown**

しかし、制服の方が大量生産されている市販の服より高いと思います。最近はいわゆる「ファストファッション」店で服がお手頃価格で買えるでしょう。それに制服って学校以外ではめったに着ないですよ。

❹ **Eichi**

I don't think so. School uniforms are useful especially when they attend ceremonial occasions. Besides, school uniforms will contribute to a rise in students' **academic abilities**. They can concentrate on studying without wasting time deciding what to wear.

サポートはないが、強い反論と別の強いポイントで40点

❺ **Brown**

A waste of time is not such a problem! **On the contrary**, students can concentrate on study by wearing clothes that suitable for different temperatures and their health conditions.

反論はないが別の強いポイントで20点

❻ **Eichi**

Still, uniforms help maintain school discipline, and **serve as** a deterrent to juvenile delinquency. Wearing uniforms will give students a sense of belonging to their school and discourage them from turning to delinquency.

反論はなく、別ポイントは強いがサポートに論理の飛躍があり20点

❹ 叡智

そんなことないと思います。制服は特に式に行くときなどに便利ですよ。それに制服があると生徒の学力向上にもつながるでしょうし。着る服を選ぶのに無駄な時間を使わず勉強に集中できるでしょう。

❺ Brown

時間の無駄ってそんなに問題にならないですよ！　逆に、気温や体調に合った服を着た方が勉強に集中できます。

❻ 叡智

でも制服があると学校の風紀が保てるし、非行の防止にもなります。生徒は学校への帰属意識が高まって、非行に走らなくなります。

ダイアローグで英語表現力 *UP!*

□ **academic ability**（学力）

academic はラテン語起源で「学究的な、学校の」の意。academic background（学歴）、academic circles（学界）などがある。「（学業）成績」は academic records。

□ **on the contrary**（それどころか、逆に）

他に far from that がある。よく似た表現 to the contrary（逆に）は原則、文頭では用いない。I know nothing to the contrary.（それと逆のことは何も知らない。）

□ **serve as**（～として役割を果たす、役立つ）

serve はラテン語起源で「人に仕える、奉仕する」。そこから「供給する」、「食べ物を出す」、球技では「相手にサーブする」と発展する。公務員は a public servant、文字通り「公に仕える人」。

❼ Brown

But don't you think that uniforms hamper the development of individuality and creativity? Just obeying the rules will deprive them of chances to express themselves.

反論はないが、強いポイントとちょっと弱いサポートで20点

❽ Eichi

Aren't there many other opportunities to express themselves and their individualities? Uniforms definitely develop discipline and **conformity to** the rules of society, which I do believe students have to learn at school before they become a full-fledged members of society.

説得力に乏しい反論、強い別ポイントと強いサポートで50点

❾ Brown

I hope Vivian will enjoy her high school life. By the way, I'm thinking of sending her a gift for congratulation. How about some clothes that suit her cheerful personality?

反論なしで－10点

❿ Eichi

How sweet of you! Thank you so much. She will be delighted.

“私の出身国であるアメリカは、自由を重んじる国ですが、近年では生徒の安全を高めるために制服を導入する学校が増加しています。”

❼ Brown

しかし、制服は個性や創造性を育めなくすると思いませんか？ 規則に従っていたらよいというのは、個性を出す機会がなくなってしまいます。

❽ 叡智

自己表現をしたり個性を出したりする機会は他にもたくさんあるじゃないですか！　制服を着ることで自制心や社会のルールに従うことを絶対に学べるし、そういうことは生徒が社会に出る前に学校で学んでおかないといけないことだと私は本当に思っています。

❾ Brown

ヴィヴィアンが高校生活を楽しめたらいいですね。ところで彼女にお祝いのプレゼントを贈りたいのですが、ヴィヴィアンらしい明るい感じの服なんてどうですか？

❿ 叡智

わあ、優しいですね。ありがとうございます！　ヴィヴィアンは絶対に喜びます。

ダイアローグで英語表現力UP!

□ **conformity to**（～に合わせること）

動詞は conform。con はラテン語で with、form は形作る。to を伴って「法律、慣習、ルール」などと結びつきやすい。conform to the authority（権威に従う）

Step 4 アーギュメントをJudge!

いかがでしたか？　今回は、叡智が賛成、Brown が反対の立場でした。それでは英悟の超人 Ichy Ueda による講評を見てみましょう。

▶本文 pp. 192 ～、日本語訳 pp. 193 ～

❷ Eichi　計20点 ▸▸ 立論20点／サポート0点

毎日着る服をたくさん買うよりはお金がかからない、というポイントで制服導入に賛成し立論しているので20点ゲット！　ただし、そのサポートがないのでもっと具体的に述べるとよいでしょう。

❸ Brown　計40点 ▸▸ 反論20点／サポート20点

制服が経済的だという意見に対して、制服のほうがコストがかかると反論しているので20点。さらに、いわゆるファストファッションなど昨今の状況を具体例に挙げて、しっかりとサポートできているので20点獲得！

❹ Eichi　計40点 ▸▸ 反論20点／立論20点／サポート0点

制服は学校以外でめったに着ないという意見に対して、式典に出席する時などに重宝すると反論していますが、サポート（卒業式、入学式、葬式などの例え）がないので立論点のみ20点。さらに、「着る服を気にせず勉強に集中できて学力が向上する」という別ポイントは強いです（20点）が、サポートがありません。

❺ Brown　計20点 ▸▸ 立論20点／サポート0点

「制服は式典でも着用でき重宝する」というポイントに対してはうまく反論できていないので0点。しかし、気温や体調に合わせた服装の方が逆に勉強に集中できるという強いポイントを述べているので20点ゲット（サポートなし）。

❻ Eichi　計 20 点 ▸▸ 立論 20 点 / サポート 10 点 / 減点 10 点

Brown の意見に反論していないので－10 点。しかし、制服が学校の風紀を保つという別ポイントを述べているので 20 点。さらに帰属意識から非行に走りにくくさせているという例でサポートをしているが、少し論理に飛躍を感じるので 10 点。帰属意識から make them proud of their school（学校に誇りをもつ）、故に非行に走りにくい、という一言を加えるとよくなります。

❼ Brown　計 20 点 ▸▸ 立論 20 点 / サポート 10 点 / 減点 10 点

叡智の意見に反論していないので－10 点。しかし、個性を伸ばせないという強いポイントを述べているので 20 点。しかしサポートは少ない上に具体性に欠けるので 10 点となります。

❽ Eichi　計 50 点 ▸▸ 反論 10 点 / 立論 20 点 / サポート 20 点

Brown の意見に対して、制服以外にも個性を伸ばす機会はあると反論していますが、具体例に乏しく説得力が弱いので 10 点とします。また別ポイントである「規律や常識を養う」は強く、20 点。「将来社会に出るための準備になる」というサポートもよいので 20 点。

❾ Brown　計－10 点 ▸▸ 減点 10 点

「個性を伸ばす場面が他にもある」や「規律を養う」というポイントに反論していないので－10 点です。

☆叡智は学校制服の本来の目的のひとつである「生徒間での経済格差を感じさせない」という強い理由を述べませんでした。とても強い賛成のアーギュメントなのでこれを欠いたのは痛恨の極み！

“論理の飛躍がないように
論理明快に反論しよう！”

Step 5 トピック 13 のまとめ

いよいよアーギュメントの結果発表です！

叡智
賛成
130点

VS

Brown
反対
70点

「学校制服」の強いキーアイディアはこれだ！

賛成 	① It will encourage conformity to the rule among students. （生徒に規則の遵守を促す）
	② It will raise students' academic abilities by helping students concentrate on their study. （生徒が勉強に集中する一助となり、学力が向上する）
	③ It will develop a sense of equality among students. （生徒間の平等意識を養う）
	④ It will instill in students a sense of belonging to school. （生徒の学校への帰属意識を向上させる）
	⑤ It is more economical than casual clothes, thus reducing family expenses. （カジュアルウェアよりも経済的なので家計の支出を削減する）
反対 	① It undermines the development of students' individuality and creativity.（生徒の個性や創造性の向上を阻害する）
	② It causes discomfort to students because of its lack of adaptability to seasonal changes in temperatures. （季節ごとの気温変化に対応できないため、生徒が不快になる）
	③ It is more expensive than clothes on the market. （市販の服より割高である）

議論のための表現力 UP ④「対処する」

□ **deal with**（取り組む） ポイント 問題解決のために必要な措置を取る

The international society must deal with nuclear proliferation.

（国際社会は核の拡散に対処しなければならない）

□ **address**（対処する） ポイント 問題を検討して、その解決や打開を試みる

The international body is addressing the issue of nuclear possession.

（国際機関は核保有の問題に取り組んでいる）

□ **cope with**（対処する） ポイント 困難な問題や状況の解決に成功する

Two superpowers coped with the crisis of a nuclear war through dialogues.

（両超大国は対話を通じて核戦争の危機に対処した）

□ **tackle**（取り組む） ポイント 組織的に粘り強く、困難な問題の解決を試みる

The global society must tackle the problem of developing weapons of mass destruction.

（国際社会は大量破壊兵器の開発の問題に対処しなければならない）

□ **control**（扱う） ポイント 自分の意のままに物事を決定し管理する力を持つ

The region is politically and economically controlled by a superpower.

（その地域はある超大国によって政治的、経済的に支配されている）

□ **manage**（扱う） ポイント 困難なものを努力やスキルを通じてうまく扱う

We need to manage our time and money more efficiently.

（時間とお金をもっと効率よくやりくりする必要がある）

□ **manipulate**（扱う） ポイント 自分の望むように巧みに人や情報を操作する

The government and mass media always manipulate public opinion.

（政府とマスメディアは常に世論を操作している）

TOPIC 14

少年犯罪のメディア公表の是非を議論！

Should the photos of juvenile criminals be made public?

市民の知る権利を守るべきか
少年の人権を守るべきか？

難易度 ★★★☆
論争度 ★★★☆
ジャンル 法制

Step 1 背景知識を日本語でInput！

未成年者による殺人（murder）、強盗（robbery）、放火（arson）、強姦（forcible rape）などの凶悪犯罪（heinous crime）がメディアで報道されるたびに、犯罪者が少年法で保護されていることに対して複雑な気持ち（mixed feelings）になる人も多いのではないでしょうか。

少年法第六十一条（Juvenile Act Article 61）は、事件を起こした犯罪者が未成年の場合、名前や顔などの少年を特定する情報の報道を禁じ、同法第二十二条2項は、少年審判手続を非公開と定めています。これは、少年は善悪の判断基準が未成熟で責任能力がないという考えに則し、非行から立ち直らせるために、福祉的・教育的に働きかける必要があるという「保護主義（protectionism）」の理念に基づいています。

その一方で、少年法の基本理念そのものに疑問を投げかける意見も多くあります。元来少年法は少年非行（juvenile delinquency）に対し再教育（rehabilitation）するという立場ですが、そもそも凶悪犯罪は「非行」の領域ではないという考え方です。アメリカやイギリスでは凶悪犯罪の場合は少年でも実名報道されますが、これは少年法の基本的理念が福祉・保護よりも刑事司法（criminal justice）に重点を置いているためです。

また、市民には、事件の背景や犯人像を知る権利（the right to know）があります。たとえ少年であってもその凶悪性に変わりはありません。彼らを取り巻く社会問題を認識し、改善策を考える材料にすることは、より安全な社会（public safety）を築くために重要です。また、加害少年はプライバシーが守られているのに、被害者（victims）は実名や顔写真が報道されプライバシーが守られていないことへの不公平さ（unfairness）を指摘する声もあり、報道の自由とのバランスが課題です。

こういった状況下、成人年齢の18歳への引き下げ（2022年4月より）に伴い、少年法適用年齢引き下げの議論もなされてきました。しかし更生機会が失われれば再犯（repeat offense）のリスクが増すとの懸念から、適用年齢は維持したまま18、19歳は「特定少年」として実質的に厳罰化されることになりました。今後の動きが注目されます。

Step 2 背景知識を英語でInputし、さらに問題意識をUP!

パッセージを読んで、以下の質問について考えてみましょう。
❶ 日本の少年法はどのような考えに基づいているのでしょうか。
❷ なぜメディアは少年犯罪者の名前を公表する時があるのですか。

In Japan the Juvenile Act, Article 61 protects the privacy of **juvenile criminals** by prohibiting the publication of their identity and other personal information. The law is based on the recognition that young people should have a chance to restart their lives through **reeducation** because their immaturity often makes them commit crimes. **In this sense**, publication bans can protect them from the harmful effects of disclosure and maximize their potential for **rehabilitation**.

On the other hand, the media sometimes publicize the names and photos of juvenile criminals in the case of **heinous crimes**, despite the violation of the law. This behavior **is attributed to the notion** that citizens have the right to know and freedom of the press. It is natural that people want to know who has committed a crime, as well as what and how the crimes have occurred, for public safety.

日本語訳

日本では少年法第六十一条が**少年犯罪者**を特定できる情報を報道することを禁じ、プライバシーを守っています。少年法は、❶青少年というものは未熟であるがゆえに事件を起こしてしまいがちなので、**再教育**により人生をやり直す機会を与えられるべきだという認識の下に成り立っています。**こういった意味で**報道を禁止することにより、彼らが公表による悪影響を受けることなく**社会復帰**への道をできるだけ広げることができるのです。

その一方でメディアは少年法違反であるにもかかわらず、特に**凶悪犯罪**では少年犯罪者の名前や写真を公表する時があります。これは❷国民には知る権利や報道の自由があるという**意向による**ものです。安全な社会のために、どんな犯罪がどのように起きたのかということだけではなく、誰が犯人なのか知りたいと思うことは自然なことです。

「少年犯罪のメディア公表」を議論するための表現力をcheck!

- □ 青少年犯罪抑止の役割がある serve as a deterrent to juvenile crimes
- □ 表現の自由を促す promote freedom of expression
- □ 国民の知る権利を促す promote the public right to know
- □ 国民を危険な少年犯罪から守る protect the general public from dangerous juvenile criminals
- □ 青少年の心の発育権を侵害する infringe on juveniles' rights to mental development
- □ 青少年が法を遵守する市民へと成長するのを阻む discourage juveniles from growing into law-abiding citizens
- □ 未成年犯罪者の実名を公表する publicize the names of juvenile criminals
- □ 殺人や放火のような凶悪犯罪 heinous crimes such as murder and arson
- □ 再犯率 recidivism rate

Step 3 ダイアローグ
Should the photos of juvenile criminals be made public?

以下のダイアローグでは、2人の意見のポイントは何か、話が**かみ合っているか**、**改善すべき点は何か**、**どちらが強いアーギュメントか**を考えながら読みましょう。

❶ Brown

A newspaper says that a 19-year-old boy **broke into a house** to steal some money and killed the woman living there. His identity is protected under the law. But I think that the names and photos of juvenile criminals should be made known to the public because revealing criminals' identities contributes to public safety.

立論ができているので20点

❷ Eichi

What an awful news! But I don't think that the identities of minors who have committed crimes should be **disclosed** because they have a long life ahead of them and a chance to reform themselves. If their identities were exposed to the public, they would lose those chances.

反論とそのサポートもよく40点

❸ Brown

Don't you think that revealing young offenders' identities can **serve as a deterrent to** juvenile crimes? Otherwise, young potential offenders are likely to commit crimes as they have no fear of being exposed to the public.

反論はないが、別ポイントとそのサポートがよく30点

日本語訳　少年犯罪のメディア公表の是非を議論！

❶ Brown

19歳の少年がお金を盗むために強盗に入って、その家に住んでいた女性を殺した事件が新聞に載っていました。犯人の身元は法律で守られているのです。私は社会の安全に繋がるので少年犯罪者の身元は公表されるべきだと思います。

❷ 叡智

ひどい事件ですね！　でも私は少年犯罪者の身元は公表されるべきではないと思います。だって長い人生があるわけだし、更生するチャンスがあるのですから。もし名前などが公表されたら更生のチャンスがなくなってしまいます。

❸ Brown

若い犯罪者の名前などを公表することが、少年犯罪の抑止になるとは思いませんか？　実名報道される恐れがなかったら少年犯罪予備軍が犯罪に走りやすくなりますよ。

ダイアローグで英語表現力 *UP!*

□ **break into a house**（家に押し入る）

break into は「壊して中に入り込む」。概念的な事柄にも使える。break into a new field（新しい分野に参入する）など。

□ **disclose**（暴く）

disclose the truth（真実を暴く）disclose O to the public（O を公表する） 類 expose、reveal 反 conceal

□ **serve as a deterrent to**（～の抑止力になる）

語源は de-(離れて) + terrere ≒ frighten より。nuclear deterrence(核抑止力)など。類 restraint、curb

❹ Eichi

But even if their identities are revealed, you may not see the number of juvenile crimes decrease. Besides, the revelation can cause great damage to the rest of their life especially in the case of a false accusation.

弱い反論と別ポイントで30点

❺ Brown

But for public safety, we have the right to know and the media has the right to freedom of expression. Even if criminals are **under age**, information disclosure is a key principle of democracy.

反論はないが、別ポイントとそのサポートで30点

❻ Eichi

Democracy means that everyone has human rights. Juvenile offenders are considered too immature to receive equal punishment for crimes as adults. Identity disclosure will violate the human right of immature people by "**bullying**" them.

反論は少しズレているが強いポイントとサポートはよく40点

❼ Brown

I disagree. I think that 19-year-old boys are mature enough to face the consequences of the crimes they have committed.

強い反論で20点

❽ Eichi

By the way, the identities of crime victims are often made known to the public. I feel so sorry for their great suffering not only from the crime but also from their exposure. It is time we considered how the media should cover juvenile crimes.

反論はなく、ペーソスに訴えた弱いポイントのみなので0点

❹ 叡智

でもたとえ名前が公表されたとしても、犯罪の数が減るとは限りません。それに、特にえん罪の場合など、残りの人生がひどいダメージを受けることになるかもしれないでしょう。

❺ Brown

私は、公衆安全のために、人々の知る権利やメディアの報道の自由についての権利があると思います。犯罪者が未成年だとしても、情報公開することは民主主義の肝です。

❻ 叡智

民主主義というのは皆平等に人権があるということでしょう。少年犯罪者は未熟だから大人と同じ責任はとれないとされているのです。身元を公表すると、まるで社会制裁のように「いじめ」て、未熟な彼らの人権を侵していることになります。

❼ Brown

それは違います。私は19歳の少年は成熟しているので、自分の犯した罪がどのような結果になるか十分判断できると思います。

❽ 叡智

ところで、よく犯罪被害者は名前などを公表されてしまうでしょう。彼らが犯罪そのものと、さらし者にされたことの両方に苦しめられるのはとても気の毒だと思います。少年犯罪の報道がどのようにあるべきかを考えておかないといけないですね。

ダイアローグで英語表現力 *UP!*

☐ **under age**（未成年）

年齢に達していないという意味より。本文中の minor が指すものと同じ。

☐ **bullying**（いじめ）

「いじめる」には、bully（弱いものをいじめる）、tease / mock（からかう）、harass / molest（継続的に悩ませる）、torment / torture（精神的に苦しめる）などがある。

Step 4 アーギュメントをJudge!

いかがでしたか？　今回は、Brownが賛成、叡智が反対の立場でした。それでは英悟の超人Ichy Uedaによる講評を見てみましょう。

▶本文pp. 206～、日本語訳pp. 207～

❶ Brown　計20点 ▶▶立論20点/サポート0点

社会の安全につながるというポイントを述べて立論しているので20点。しかしそのサポートはないので追加点はなしです。

❷ Eichi　計40点 ▶▶反論20点/サポート20点

「将来のある若者は更生するチャンスがある」というポイントで反論しているので20点。さらに、身元を公表されると更生するチャンスを失うというサポートがあるので20点ゲット！　ただし、欲を言うならば「長い人生で更生するチャンスがある」というのは少年に限らず大人にも当てはまることなので例えば、"Minors have more chances for rehabilitation than adults because they are in the process of growing."（未成年者は成長段階にあるので、大人よりも更生するチャンスがある。）など、大人とは異なる点をはっきりと述べるとよりよくなります。

❸ Brown　計30点 ▶▶立論20点/サポート20点/減点10点

反論はできていないので−10点。しかし、抑止力になるという強い別ポイントがあるので20点。さらにそのサポートもしっかりできているので20点獲得です。

❹ Eichi　計30点 ▶▶反論10点/立論20点/サポート0点

反論はしていますが、少年犯罪の数が減らないというのは主観的で説得力がないので10点。ここではデータによるサポートがあると強いポイントになります。えん罪の可能性を別ポイントにしているのはよいので20点。しかしそのサポートがないのは残念！

❺ Brown　計30点 ▸▸ 立論20点/サポート20点/減点10点

反論はできていないので－10点。知る権利や報道の自由という強い別ポイントを述べているので20点。さらに民主主義の基本だ、と強いサポートもあるので20点ゲット！

❻ Eichi　計40点 ▸▸ 反論0点/立論20点/サポート20点

一応反論していますが、Brownのポイントである「知る権利」などに対する反論からズレています。しかし人権に関する別ポイントは説得力があり、サポートもあるので計40点です。

❼ Brown　計20点 ▸▸ 反論20点／サポート0点

「19歳は十分成熟している」というポイントを述べて反論しているので20点。ただしそのサポートがありません。

❽ Eichi　計0点 ▸▸ 立論10点/サポート0点/減点10点

反論はできていないので－10点。またI feel so sorry ～とペーソスに訴えていますが、自分の感情のみを述べているだけなので弱く、10点。

“データに基づくサポートを述べれば強い反論ができる！”

Step 5 ／ トピック 14 のまとめ

いよいよアーギュメントの結果発表です！

Brown
賛成
100点

叡智
反対
110点

「少年犯罪のメディア公表」の強いキーアイディアはこれだ！

賛成	① It can serve as a deterrent to juvenile crimes. （少年犯罪の抑止力になる）
	② It promotes freedom of expression and the public's right to know. （表現の自由と国民の知る権利を促す）
	③ It will protect the general public from dangerous juvenile criminals. （危険な少年犯罪者から一般市民を守ることができる）
	① It infringes on juveniles' rights to mental development. （青少年の精神的発達の権利を侵害している）
	② It will discourage juveniles from reforming and growing into law-abiding citizens. （青少年が更生して法を守る市民に成長するのを妨げる）

議論のための表現力 UP ⑤「与える」

□ **cause** ポイント 被害（damage）、損害（loss）、問題（problem）など悪いものを与える

The storm caused damage to many houses.

（嵐は多数の家に損害を与えた）

□ **have** ポイント 影響（impact, influence）、結果（result）などを与える

Violence movie has a negative impact on children.

（暴力映画は子どもに悪影響を与える）

□ **make** ポイント 影響（impression）などを与える

The play made a deep impression on audience.

（その演劇は観客に深い感銘を与えた）

□ **supply** ポイント 必要なもの・不足しているものを定期的に長期間にわたって供給する

The river supplies the town with water.

（その川は町に水を供給する）

□ **provide** ポイント あらかじめ準備しておき、必要に応じて提供する

The city provided the victims with food.

（市は被災者に食料を提供した）

TOPIC 15

定年退職制の是非を議論！

Do the benefits of the mandatory retirement system outweigh its disadvantages?

会社を救うべきか
高齢者・社会保障制度を救うべきか？

難易度 ★★★☆
論争度 ★★★☆
ジャンル 経済・ビジネス

Step 1 背景知識を日本語でInput！

ロンドンビジネススクール教授のリンダ・グラットン著『人生100年時代（THE 100-YEAR LIFE）』が2016年に出版されて以来、巷でも「人生100年時代」という言葉をよく耳にするようになりました。それに伴い、それまで定番だった60歳定年退職制度を見直す動きが出てきました。実際、ひと昔前までの60歳のイメージと比較して、現在の60歳は元気な人が増え、まだまだ引退には早すぎる、という意見もあります。

歴史を振り返ると、日本最古の定年制度は1887年に始まったといわれています。当時は多くの企業が55歳定年制を導入していましたが、そのころの男性の平均寿命（the average lifespan）は40代後半〜50歳でしたので、文字通り終身雇用（lifetime employment）だったのでしょう。60歳定年制が施行されたのは1998年からで、意外と新しい制度です。

今後、少子高齢化が進み、年金制度（pension system）を維持することが難しくなると見通されています。先述の健康寿命が延びたこととも相まって、高年齢者雇用安定法による65歳定年制は2025年4月からすべての企業の義務になります。これは、年金受給開始時期（the pension-receiving age）と退職を同じ時期にし、無収入の期間をなくそうという考えでもあります。

海外に目を向けてみましょう。アメリカは1987年に、イギリスは2011年に定年退職制度を廃止しました。アメリカは年齢差別（age discrimination）の観点が、イギリスは日本と同様、少子高齢化に伴う年金問題や生産人口（working-age population）の減少がその理由です。一方、ドイツ、フランスでは段階的に65歳以上に、マレーシアやタイなど高齢化社会ではない国でも55歳から60歳へと定年年齢が引き上げられています。高齢化社会ではないアジア諸国の場合は先進国とは事情が異なり、経済発展による労働力を確保する（secure labor force）ための定年年齢引き上げです。このように少子高齢化、それに伴う年金問題などが絡みあう定年制のあり方が世界各国の課題になっています。

Step 2 背景知識を英語でInputし、さらに問題意識をUP!

パッセージを読んで、以下の質問について考えてみましょう。

❶ 日本で定年制が導入されたのはなぜですか。

❷ 2013年に施行された法律はどのような意図がありますか。

Mandatory retirement is a policy that requires employees to retire at a certain age. The mandatory retirement system is strongly related to **an aging society with a declining birthrate**, the pension system, and economic activities. In Japan it was introduced during the economic recession to reduce personnel costs. The retirement age, which used to be commonly 55, was raised to 60 in the late 20th century with increased lifespan. In the 21st century, the movement toward the extension of the retirement age to 65 has been gradually spreading in Japan.

Since 2013 when the law on employment of elderly people **was enacted**, Japanese companies have been required to employ whoever wants to continue to work until 65. This new policy results from the government's will to raise the starting age of pension provision. With difficulties in striking a balance between the mandatory retirement system and aging society, the day may come when people continue to work as long as they want without limitations.

日本語訳

定年退職とは従業者がある年齢になったら退職しなければならない制度のことです。定年制は**少子高齢化**や年金制度、経済活動と深く関わっています。日本の定年退職制度は❶不景気時に人件費削減のために導入されました。定年年齢はかつては55歳が一般的だったのですが、寿命が延びたことで20世紀後半に60歳に引き上げられました。21世紀になると定年年齢を65歳に引き上げようという動きがだんだん広がってきました。

2013年に高齢者雇用に関する法律が**施行されて**から、日本の企業は働き続けたい人は誰でも65歳まで雇用しなければならなくなりました。この新しい制度は❷年金供給年齢を引き上げようとする政府の思惑です。定年退職制度と高齢化社会を両立させることは難しいので、働きたいだけ働き続けられる定年のない時代がやってくるかもしれません。

「定年退職制」を議論するための表現力をcheck!

- □ 会社の高い人件費を削減する reduce high labor costs for companies
- □ 若い世代へ仕事を提供する
  provide job opportunities to the younger generation
- □ 退職後にのんびりした生活を楽しむ機会を高齢者に与える
  give elderly people a chance to enjoy an easy life after retirement
- □ 政府の福祉予算を削減する reduce the government budget for welfare
- □ もっと低い賃金でより生産性の高い若手の従業員を雇う
  employ lower-paid, more productive younger workers
- □ 作業効率を高める increase operational efficiency
- □ 高齢者の知識と経験の無駄遣い
  a waste of elderly people's knowledge and experience
- □ 高齢者の健康寿命を縮める shorten elderly people's healthspans
- □ 高齢化を早める accelerate elderly people's aging
- □ 年金給付のための政府予算が増える
  increase the government budget for pension provisions
- □ 年功序列制の国 seniority-based countries

Step 3 ダイアローグ
Do the benefits of the mandatory retirement system outweigh its disadvantages?

以下のダイアローグでは、2人の意見のポイントは何か、話が**かみ合っているか**、**改善すべき点は何か**、**どちらが強いアーギュメントか**を考えながら読みましょう。

❶ **Brown**

My uncle will retire from his company this spring at the age of 60. He **has no choice but to** leave, though he is still energetic and productive. I think that the mandatory retirement system should be abolished for people like my uncle.

ポイントもサポートも弱いので10点

❷ **Eichi**

I know that your uncle is **vigorous** enough to climb Mt. Fuji! However, I think that the mandatory retirement system should be maintained, because it will give job opportunities to the younger generation.

反論ルール違反！　強いポイントだがサポートがないので10点

❸ **Brown**

But mandatory retirement will deprive young workers of the chance to gain valuable knowledge from elderly workers. This will result in the loss of the **intrinsic value** of the company.

反論はないが別の強いポイントとサポートで30点

❹ **Eichi**

That may be so, but keeping such experienced workers means high labor costs, which will put an economic burden on companies and undermine their growth.

説得力の強い別のポイントとサポートで40点

日本語訳 | 定年退職制の是非を議論！

❶ Brown

叔父がこの春に60歳で定年退職します。まだまだエネルギッシュで仕事ができるのに会社を辞めないといけません。叔父みたいな人のために定年退職制度は廃止すべきだと思いますね。

❷ 叡智

あなたの叔父さまはとてもお元気で富士山まで登ってらっしゃいますよね！　でも、私は若い人たちに仕事の機会を与えるために定年退職制度は残しておいた方がいいと思います。

❸ Brown

でも定年退職があると若い社員が高齢者から貴重な見識を得る機会がなくなってしまいます。そうなると会社の「値打ち」が失われることになります。

❹ 叡智

そうかもしれませんが、そのような経験豊富な社員には高い人件費がかかって会社にとって大きな経済的負担になるでしょう。そうすれば、会社は成長できなくなります。

ダイアローグで英語表現力 *UP!*

□ **have no choice but to**（～するしかない）

ここでの but は except（～以外）の意。

□ **vigorous**（活力のある）

vigor はラテン語で活力。energetic（エネルギッシュ）と同意。vigorous exercise（激しい運動）、a vigorous debate（活発な議論）、a vigorous attack（猛攻）などがある。

□ **intrinsic value**（内在価値）

時価総額や株価とは別の、企業の根源的な価値。intrinsic motivation（内発的動機づけ）、intrinsic ability（本来の備わっている能力）など。

❺ Brown

Well, have you imagined what will happen after retirement? Without jobs, retirees will need a pension from the government. However, the government tries to raise the starting age of pension provision. If there are gaps between the age of retirement and pension provision, most people can't survive!

反論なしだがとても強い別のポイントとサポートで30点

❻ Eichi

I don't think everybody can continue to work in their 60s, because physical conditions **vary from one** person **to another**. Besides, the mandatory retirement system will **serve as** a safety net for those who find it difficult to keep working mainly because of the retirement allowance they receive.

反論はないがとても強い別のポイントとサポートで30点

❼ Brown

I believe that people with job responsibilities can be physically and mentally energetic because they find themselves needed by others. This ageless attitude toward work "amortality" will help increase the healthspan of elderly people.

反論はなくポイントもサポートもそこそこなので20点

❽ Eichi

Anyway, I hope your uncle will enjoy his life after retirement. How about sending him a pair of nice hiking boots as a retirement gift?

反論なしでー10点

❺ Brown

では、退職後にどんなことが起きるか想像したことありますか？仕事がなければ、退職した人たちは国から年金をもらう必要があります。ところが、政府は年金供給開始年齢を引き上げようとしています。もし退職年齢と年金供給開始までに間があれば大半の人は生きていけません！

❻ 叡智

私は全ての人が60代で働き続けられるとは限らないと思います。だって身体の状態は人によって違うものでしょう。さらに、退職金をもらえるので、定年退職制度は働き続けられない人たちのセーフティネットになります。

❼ Brown

私は、責任のある仕事をしている人は、他人から必要とされていると感じるので、身体的にも精神的にも健康でいられると思います。こんな風に生涯現役でいようとすることを「アモータリティ（不老）」っていうのですが、それは高齢者の健康年齢を延ばすのです。

❽ 叡智

とにかく、叔父さまが退職後、充実した生活を送られますように。退職のお祝いに素敵な登山靴をプレゼントするのはどうかしら。

ダイアローグで英語表現力 *UP!*

□ **vary from one 〜 to another**（〜によって違う）

depend on 〜とほぼ同じ表現。

□ **serve as**（〜としての役割を果たす）

serve は「仕える」の意。The trees in the yard serve as a screen.（庭の木は、目隠しになる。）

Step 4 ／ アーギュメントをJudge!

いかがでしたか？　今回は、叡智が賛成、Brown が反対の立場でした。それでは英悟の超人 Ichy Ueda による講評を見てみましょう。

▶本文 pp. 218 〜、日本語訳 pp. 219 〜

❶ Brown　計 10 点 ▶▶ 立論 10 点 / サポート 0 点

まだまだ元気がある自分の叔父の例を出し、定年退職制度に反対の立場を述べています（10 点）。しかし「叔父のような元気で生産性が高い人のために定年退職制度は廃止すべきだ」というポイントよりも、"Most people are still energetic and productive in their 60s."（大半の人は 60 代でも元気で生産性がある。）などのように一般化した方がベターです。また、サポートも個人的な事象のみで非常に説得力が弱いので 0 点です。

❷ Eichi　計 10 点 ▶▶ 立論 20 点 / サポート 0 点 / 減点 10 点

「高齢者の生産性」に対する反論がないので－10 点。しかし、定年退職制度を維持すべきだという賛成の立場を "it will give job opportunities to the younger generation"（若い世代に仕事の機会を増やすから）という強いポイントで主張しているので 20 点。しかしそのサポートがないので、ここでは例えば "Companies can hire three young people at the same amount of salary for one elder employee."（企業は高齢者 1 人分の給料で 3 人の若者を雇えるかもしれない。）などの具体例を出しましょう。

❸ Brown　計 30 点 ▶▶ 立論 20 点 / サポート 20 点 / 減点 10 点

「若者の仕事の機会」に対する反論はできなかったので－10 点。定年制は、若い社員が高齢者から貴重な見識を得る機会をなくすという強い別ポイントを述べたので 20 点。またそれが会社の値打ちにも響くというサポートもできたので 20 点ゲット！

❹ Eichi　計 40 点 ▸▸ 立論 20 点 / サポート 20 点 / 減点 0 点

Brown の意見には反論できませんでしたが、That may be so. と応答しているので減点なしです。「熟練従業員を雇い続けるのは高い人件費がかかる」という強いポイントを述べたので 20 点、さらにそれが会社の負担になり会社が成長できなくなるというサポートもあるのでさらに 20 点獲得！

❺ Brown　計 30 点 ▸▸ 立論 20 点 / サポート 20 点 / 減点 10 点

こちらも叡智の意見に反論できなかったので－10 点。例えばここでは、"Still, for the company, it's worth keeping elderly workers with expertise, considering its development in the long run."（それでも長い目で会社の発展を考えると、その熟練の高齢社員を雇い続けることは、会社にとって価値のあるものだ。）などと反論の余地はあります。しかし退職年齢と年金供給開始に間があれば大半の人は生きていけない、という点は強い別ポイントですので 20 点獲得。さらに年金供給開始年齢を政府が遅らせようとしているという事実をもってサポートできているのでさらに 20 点ゲットです。

❻ Eichi　計 30 点 ▸▸ 立論 20 点 / サポート 20 点 / 減点 10 点

反論はできなかったので－10 点。セーフティネットになるという説得力のあるポイントを述べていますので 20 点。さらに 60 代の健康状態は人それぞれで、働き続けられない人にとっては退職金がもらえるというサポートもよいので 20 点ゲット！

❼ **Brown　計20点 ▸▸ 立論15点/サポート15点/減点10点**

叡智のセーフティネットになるというポイントに対する反論はないので−10点。仕事の責任があると元気になるという別ポイントを述べていますが、大半の人に当てはまる事実とは言い切れず、少し弱いポイントになっているので15点。また、健康寿命が延びるというサポートも同様に少し弱いので15点とします。

❽ **Eichi　計−10点 ▸▸ 減点10点**

反論できなかったので−10点です。

“相手の主張にはピンポイントで反論しよう！”

Step 5 ／ トピック 15 のまとめ

いよいよアーギュメントの結果発表です！

Brown
反対
90点

「定年退職制」の強いキーアイディアはこれだ！

賛成	① It will reduce high labor costs for companies. （企業の高い人件費を削減することができる）
	② It will provide job opportunities to the younger generation. （若い世代に仕事の機会を提供できる）
	③ It will give elderly people a chance to enjoy an easy life after retirement. （高齢者が退職後に楽な生活を送る機会を与える）
反対	① It will reduce the government budget for welfare. （政府の福祉予算が減る）
	② It will be a waste of elderly people's knowledge and experience. （高齢者の知識や経験を無駄にしてしまうことになる）
	③ It will shorten elderly people's healthspans by accelerating their aging. （高齢者の老化を早めて健康寿命を縮めることになる）

TOPIC 16

死刑制度の是非を議論！

Do the benefits of the capital punishment outweigh its disadvantages?

凶悪犯罪の抑止かえん罪処刑の回避の
どちらを優先すべきか？

難易度 ★★★★
論争度 ★★★★
ジャンル 法制

Step 1 背景知識を日本語でInput！

地球上のどんな社会にも―動物社会も含めて―秩序を保つ（maintain order）ためのルールや掟があり、破った者に対してはペナルティが課せられます。罪に応じた刑罰（penalty）は国によってさまざまで、日本の刑罰は大きく3種類に分けられます。身柄を拘束する自由刑（imprisonment）、金銭を課す財産刑（pecuniary penalty）、そして死に至らしめる生命刑（capital punishment）です。他にも身体に苦痛を与える身体刑（corporal punishment）、一定区域への移動を禁じる追放刑（banishment）、名誉や身分を剥奪する名誉刑（honorary punishment）などがありますが、これらは今の日本で行われていません。

「江戸の敵を長崎で討つ」ということわざもあるように、日本には明治時代になって私刑（lynching）が禁止されるまで、武士の間では合法的に親や主君の敵をとることができる敵討制度がありました。これは庶民の間でも大いなる関心事で、文芸や歌舞伎などの演劇界では「敵討もの（revenge stories）」としてひとつのジャンルになったほどでした。現在でも「忠臣蔵物」や「曽我物」は人気のタイトルです。このように被害者および遺族の感情（the feelings of the victim and bereaved family）を重視する土壌がある日本では、国民の8割が死刑制度を容認しているとも言われています。

その一方、世界190カ国以上の中で、死刑制度を廃止した国が約半数、死刑制度があるものの実施しない国が約3割、そして日本を含め死刑制度が存続している国が約2割となっています。EU加盟には死刑制度廃止が条件にあるなど、世界的に廃止の流れがあり、国連は日本に対して死刑の廃止や一時停止、死刑囚の待遇改善を求める勧告をしています。

法律はそれぞれの社会に適応したものでなければ有用ではなくなるという考え、常に客観的視点からそれを検証すべきだという考えから、死刑制度はその存続論者（retentionists）と廃止論者（abolitionists）の間で長年激しい論争が続いています。

Step 2 背景知識を英語でInputし、さらに問題意識をUP!

パッセージを読んで、以下の質問について考えてみましょう。
❶ 現代ではなぜ死刑制度を廃止する国が大多数なのでしょうか。
❷ 死刑制度の是非を判断するのはなぜ難しいのでしょうか。

Capital punishment is the practice of executing, after a **trial**, those who have committed **atrocious crimes** such as murder. Traditionally, capital punishment has been practiced all over the world in various ways including mercilessly torturing people to death.

These days, capital punishment has been abolished in most countries **on humanitarian grounds**. The EU, for example, stipulates that member countries are not allowed to enforce the death penalty. On the other hand, many countries including Japan that have not abolished capital punishment. In fact, most people in those countries support the death penalty, mainly because of consideration for the feelings of victims and their bereaved family and its value as a **deterrent to** crime.

Capital punishment is a controversial issue that involves cultural differences and human rights. Because of this nature, it seems too complicated to make a value judgment on this aspect of a criminal justice system.

日本語訳

死刑というのは、殺人などの**凶悪犯罪**の犯人を正当な**裁判**を経て死に至らしめる行為です。昔から死刑は世界中でさまざまな方法で行われてきており、中には拷問死させるなど残酷なものもありました。

❶今日では**人道的な見地から**死刑は大多数の国で廃止されています。例えばEU は加盟国に死刑廃止を規定しています。その一方で日本を含めた多くの国で死刑は存続しています。そのような国では被害者やその遺族の感情や、犯罪**抑止**を考慮して死刑制度が支持されています。

❷死刑制度は文化の違いや人権にかかわる論争が絶えない問題です。こうした特質から、刑事司法のこの制度のよし悪しを決めることはとても難しいようです。

「死刑制度」を議論するための表現力を *check!*

- □ 死刑 the death penalty / capital punishment
- □ 死刑容認国 pro-death penalty countries
- □ 政治的抑圧の手段 a means of political oppression
- □ 基本的人権の甚だしい侵害 a blatant violation of fundamental human rights
- □ 尊い人命を奪うという取り返しのつかないことが起きる cause an irreparable loss of valuable human lives
- □ 無実の人に執行される危険がある carry the risk of executing innocent people
- □ えん罪の可能性 the risk of false accusations
- □ 犯罪者から罪の償いの機会を奪う deprive criminals of a chance to atone for their sins
- □ 犯罪者の生きる権利を侵害する violate criminals' right to live
- □ 凶悪犯罪への抑止の役割を果たす serve as a deterrent to atrocious crimes
- □ 終身刑を犯罪者に課す imprison criminals for life
- □ 被害者の家族の苦しみを軽減する alleviate the suffering of victims' families

Step 3　ダイアローグ
Do the benefits of the capital punishment outweigh its disadvantages?

以下のダイアローグでは、2人の意見のポイントは何か、話が**かみ合っているか**、**改善すべき点は何か**、**どちらが強いアーギュメントか**を考えながら読みましょう。

❶ Brown

Did you read today's newspaper? There were **indiscriminate killings** at a shopping mall in Tokyo. Many people including children were mercilessly killed in the horrible incident. This is outrageous! Such an atrocious criminal must **be sentenced to death**!

ペーソス（心情）に訴える強いポイントと強いサポートで40点

❷ Eichi

I saw the news on TV. They say that brutal crimes have been increasing recently. I cannot stand the brutal killing of innocent people. However, I am against capital punishment.

反論なしで－10点

❸ Brown

Why? Just imagine how you'd feel if your beloved family was the victim of a brutal crime. Don't you think that people who commit such crimes deserve the death penalty?

相手の心を揺さぶる反論で20点

日本語訳 ｜ 死刑制度の是非を議論！

❶ Brown

今日の新聞を読みましたか？　東京のショッピングモールで無差別殺人事件があったそうです。悲惨な事件で、子どもも含めた多くの人が無慈悲にも殺されたそうです。とんでもないことです。私はそんな凶悪犯は死刑になるべきだと思います。

❷ 叡智

私はそのニュースをテレビで見ましたが、最近そんな事件が増えてきているそうですね。罪もない人が何の意味もなく殺されるなんて我慢できません。でも私は死刑には反対です。

❸ Brown

なぜですか？　もしあなたの愛する家族が凶悪犯の犠牲になったら、と想像してみてくださいよ。犯人は死刑に値するって思いませんか？

ダイアローグで英語表現力 UP!

□ **an indiscriminate killing**（無差別殺人）

否定の接頭辞 in + discriminate（区別・差別する）で「無差別」。serial murder（連続殺人）、locked-room murder（密室殺人）など。

□ **sentence O to death**（O に死刑を宣告する）

sentence は「人に判決を言い渡す」の意。sentence O to two years in prison（2年の懲役に処す）sentence O to life in prison（終身刑を言い渡す）

❹ **Eichi**

I know that would be a harrowing tragedy. But executing the perpetrator will not bring the victim back to life. Besides, capital punishment is an inhumane and unethical form of punishment.

倫理観による弱い反論と、別の強いポイントで30点

❺ **Brown**

But I think that capital punishment can serve as an effective deterrent for other **heinous crimes**, which leads to the protection of public safety. Under this system, innocent people can live more safely free from the fear of being attacked by vicious criminals.

反論はないが強い別キーアイデアと強いサポートで30点

❻ **Eichi**

I doubt that capital punishment is an effective deterrent. Considering the fact that felonies have not been decreasing despite the enforcement of capital punishment, I think life imprisonment is a viable alternative.

強い反論と信ぴょう性の弱いサポートで30点

❼ **Brown**

But other studies conducted in the U.S. clearly indicates its actual deterrent effect. In addition, if death-row inmates are imprisoned for the rest of their lives, huge amounts of tax paid by citizens including victims' families, will be spent on maintaining those vicious people in prison. That's totally unfair.

強い反論と、強い別のポイントとサポートで60点！

❹ 叡智

そんなことになったら悲惨な事態だってわかっています。でも犯人が死刑になっても犠牲になった人は決して戻ってこないでしょう。それに死刑はとても非人道的かつ非倫理的な刑罰です。

❺ Brown

私は死刑が他の凶悪犯罪の抑止に役立っているし、それが安全な社会につながると思います。この制度があるから圧倒的多数の無実の人たちは危険な犯罪者におびえないで安全に暮らせます。

❻ 叡智

死刑が効果的な抑止力になっているとは言い難いですよ。死刑制度があるのに犯罪の数は減っていないですもの。私は死刑の代わりに終身刑がよいと思います。

❼ Brown

しかし、アメリカの研究によると、実際に抑止効果があるとわかったらしいですよ。しかも、もし死刑囚が残りの人生をずっと刑務所で過ごしたら、莫大な税金が必要です。その税金は被害者家族も含む市民が払っているということでしょう。そんなのは不公平ですよ。

ダイアローグで英語表現力 *UP!*

□ **a heinous crime**（凶悪犯罪）

heinous は犯罪などが「極悪非道の」という意味。他に犯罪と結びつきやすい形容詞は atrocious（凶悪の）、revolving（吐き気を催すくらい不快な）、horrendous（ぞっとする・身の毛もよだつ）、dreadful（忌まわしい）などがある。

❽ **Eichi**

Considering human rights, even criminals should have the chance to rehabilitate themselves. Besides, anyone can make a mistake. If someone is wrongly convicted and executed, there will be irreparable damage!

反論はないが、ふたつの強い別ポイントで30点

❾ **Brown**

Thanks to fair and accurate legal proceedings these days, the number of criminals executed by mistake has dramatically decreased. Anyway, I hope the day will come when such a dreadful crime will never happen.

反論と弱めのサポートで30点

“私の出身国であるアメリカでは、
2020年の大統領選挙の際、
バイデン大統領が連邦レベルでの
死刑廃止を公約に掲げていました。”

❽ 叡智

人権のことを考えると、たとえ加害者でも更生する機会が与えられるべきだと思います。それに間違いは誰にでもありますから。判決に間違いがあって処刑されたら取り返しがつかないです。

❾ Brown

最近の公正で慎重な裁判のおかげでそんな間違いは減っているみたいですよ。とにかく忌まわしい事件が起きない日がやってきてほしいですね。

Step 4 アーギュメントをJudge!

いかがでしたか？　今回は、Brownが賛成、叡智が反対の立場でした。それでは英悟の超人Ichy Uedaによる講評を見てみましょう。

▶本文pp. 230〜、日本語訳pp. 231〜

❶ Brown　計40点 ▶▶ 立論20点/サポート20点

死刑制度に賛成の意見ですが、凶悪犯は死刑になるべきだとペーソス（感情）に訴えた強いポイントです（20点）。また、モールでの事件を具体例に挙げ、これもペーソスに訴え強くサポートしているので20点獲得です！

❷ Eichi　計－10点 ▶▶ 反論0点/立論0点/サポート0点/減点10点

ここは反対の立場を示しただけで反論がないので－10点。またポイント、サポートもないので加点なしです。

❸ Brown　計20点 ▶▶ 反論20点/サポート0点

この意見は“people who commit such crimes deserve the death penalty”という部分がポイントですが、論理ではなく「家族が犠牲になったらどう思うか」というhypothetical situation（仮想の状況）を作り、感情に訴えているのでペーソス点20点。

❹ Eichi　計30点 ▸▸ 反論10点/立論20点/サポート0点

Brownの意見に対して「死んだものは生き返らない」と反論しても、相手のペーソスには響かないでしょうが、倫理観を述べているので10点。また、非人道的だという別ポイントを述べているので20点。しかしそのサポートがないので加点はありません。ここは例えば、“Capital punishment is one type of murder. It is cruel because anticipation of death is agonizing to death-row inmates”（死刑は殺人の一形態と言えるし、執行を待つ死刑囚の負担が大きく残酷だ。）のような理由をサポートにするとよいでしょう。

❺ Brown　計30点 ▸▸ 立論20点/サポート20点/減点10点

叡智の、非人道的だという意見に対する反論はないので－10点。しかし犯罪の抑止力になるという強いポイントを述べているので20点。さらに、社会への影響を予測してサポートしているので20点獲得です！

❻ Eichi　計30点 ▸▸ 反論20点/サポート10点

Brownの言った犯罪抑止力について客観的な事実を交えて反論しています。しかし、サポートのデータの出処が明らかでなく、信ぴょう性が弱いので、反論点は20点、サポート点は10点です。

❼ Brown　計60点 ▸▸ 反論20点/立論20点/サポート20点

抑止力になっていないと反論ができており、証拠もしっかりしているので20点（サポートなし）。また、「市民の経済的負担になる」という強い別ポイントを述べているので20点。そしてサポートは、犠牲者の家族も負担を強いられることの他に、お金がかかることにも重点を置いているので20点となります。

❽ Eichi　計30点 ▸▸ 立論40点/サポート0点/減点10点

反論はできていないので−10点。また、「更生する機会が必要」と「間違って処刑されたら取り返しがつかない」というふたつの別ポイントが述べられていますが、サポートはないので立論点のみ20点×2をゲットです。しかしもう少し論理的にするために、例えば "We should give even atrocious criminals the chance to rehabilitate themselves, because anybody make a mistake. Moreover, it is important for them to atone for what they have done for the rest of their life."（間違いは誰にでもあるものだから、たとえ加害者でも更生する機会が与えられるべきだと思う。それに一生かけて自分の行いを償うことが大切だ。）などと述べるとよいでしょう。

❾ Brown　計30点 ▸▸ 反論20点／サポート10点

叡智の言った「間違いは取り返しがつかない」という意見に対して、間違いが劇的に減ったと反論しているので20点。そのサポートは慎重で公平な裁判のためにという部分ですが、少し弱いので10点となります。

**“ペーソスで説得する場合は
相手の心情に強く訴えるものを
使おう！”**

Step 5 / トピック 16 のまとめ

いよいよアーギュメントの結果発表です！

「死刑制度」の強いキーアイディアはこれだ！

賛成 	① It can serve as a deterrent to atrocious crimes. （凶悪犯罪の抑止力になる）
	② It is very costly to imprison criminals for life. （犯罪者を無期懲役にするのは非常にコストがかかる）
	③ It can alleviate the suffering of victims' families. （被害者の家族の苦しみを和らげることができる）
反対 	① It carries the risk of executing innocent people. （無実の人々に執行される危険性がある）
	② It deprives criminals of a chance to reform and atone for their sins. （犯罪者が更生して罪を償う機会を奪う）
	③ It will violate criminals' right to live. （犯罪者の生存権を侵害することになる）

★ First Round ★

Game No.4

結果発表

4つのトピックを通しての、2人の合計得点を見てみましょう。

13 Do the benefits of school uniforms outweigh its disadvantages?

130点 VS **70点**

14 Should the photos of juvenile criminals be made public?

110点 VS **100点**

15 Do the benefits of the mandatory retirement system outweigh its disadvantages?

70点 VS **90点**

16 Do the benefits of the capital punishment outweigh its disadvantages?

80点 VS **180点**

合計

390点

440点

Olivia Brown の勝利！

Semi-Final

Game No.1

VS

TOPIC

17

大きな政府の是非を議論！

Do the benefits of big government outweigh its disadvantages?

18

消費税増税の是非を議論！

Do the benefits of consumption tax hike outweigh its disadvantages?

TOPIC 17

大きな政府の是非を議論！

Do the benefits of big government outweigh its disadvantages?

公共福祉と経済発展・技術革新の
どちらを優先すべきか？

難易度 ★★★★
論争度 ★★★★
ジャンル 政治

Step 1 ／ 背景知識を日本語でInput！

「大きな政府」あるいはその対義語の「小さな政府」(small government/limited government) はアメリカでよく使われる用語です。特に税による公共福祉に反対する勢力が、「大きな政府」と批判的に用いることが多いです。

「大きな政府」は、最低限度の生活を営む権利などの社会的権利 (social rights) を公的なサービスとして保障することに積極的です。北欧諸国は福祉国家 (welfare state) の典型だと言われていて、高率な税金による充実した福祉が特徴です。また、環境保護は通常、個人や企業の短期的な営業戦略 (a short-term profit-making strategy) では推進されません。そこで政府による規制として各種の環境税 (environmental tax) を賦課し、その税収を環境保護対策に充てます。北欧諸国のような大きな政府は概して環境保護にも積極的です。このような福祉の充実や環境保護は望ましいことのように思われますが、問題もあります。高額な税金は企業の投資を抑制し、経済発展の妨げになると指摘されています。経済各種の自由の制限を伴うこともあります。

大きな政府を極限化した形態は社会主義 (socialism) に重なります。理想的な社会主義（共産主義）ではメンバー間の完全な平等が達成されているはずですが、現実の社会主義体制では政府の権力が過剰で、経済的自由にとどまらず各種の自由が侵害される事態が多発しています。アメリカで大きな政府への反発が根強いのは、経済だけでなく市民の自由が連邦政府によって脅かされることを極度に恐れる、歴史に根ざした自由の伝統があるからです。そのようなアメリカでは、低所得者への医療保険公費補助であるオバマケア (Obama Care) への反発に見られるように、福祉サービスを民間に極力任せて減税を目指す「小さな政府」を求める流れが他国以上に根強くなっています。

充実した年金、教育、医療を受けるためには政府が肥大化することは避けられないのでしょうか？　そのことでより深刻な弊害が出るのでしょうか？　それとも政府は治安維持や国防、司法といった最低限の公共サービスのみを担い、その他はすべて民間の自由に任せる「小さな政府」を目指すべきなのでしょうか。

Step 2 ／ 背景知識を英語でInputし、さらに問題意識をUP!

パッセージを読んで、以下の質問について考えてみましょう。
❶ なぜ現代の政府は肥大化するのでしょうか？
❷ どのような点で大きな政府は批判されるのでしょか？

Modern governments have to **address various issues** ranging from **old-age benefits** to road construction to complex regulations on the latest technologies such as **self-driving cars**. These increasing duties have enlarged the size of government budget and workforce. Critics refer to this **bloated form of government** as a "big government" in a **pejorative** manner. In the U.S., critics **denounce** the federal government as ineffective, corrupt, and **invasive on individual rights**, claiming that individual and corporate activities should be as unregulated as possible. Ronald Reagan's phrase "government is not the solution to our problem; government is the problem" **encapsulates** many Americans' **ingrained mistrust of the government**. However, some economists argue that **welfare states** are not as harmful to freedom and happiness as conservative Americans imagine.

日本語訳

現代の政府は、**老齢年金**や道路建設から**自動運転車**のような最新技術についての複雑な規制まで、**さまざまな問題に対処し**なければなりません。こうした❶増え続ける仕事に対応するため、政府の予算と職員は拡大してきました。この**肥大化した政府**のことを、批判的な人々は「大きな政府」と**軽蔑的に**呼びます。アメリカでは、❷連邦政府は非効率で腐敗しており**個人の権利を侵害する**ものであると**非難し**、個人と企業の活動をなるべく規制すべきではないと主張する人もいます。ロナルド・レーガン元大統領の「政府は我々の問題を解決しない、政府こそが問題なのだ」という有名な一節は多くのアメリカ人に**染み込んだ政府への不信感**を**象徴して**います。しかし、**福祉国家**は保守的なアメリカ人が思うほど自由や幸福にとって害になっていないと言う経済専門家もいます。

「大きな政府」を議論するための表現力を check!

- □ 大きな政府 big government ⇔ 小さな政府 small government
- □ 福祉国家 welfare states
- □ 社会福祉を充実させる increase social welfare
- □ 所得格差を減らす decrease income disparity
- □ 公共投資で経済発展を促す
  promote economic development through public investment
- □ 経済発展を阻む undermine economic development
- □ 技術革新を阻む undermine technological innovations
- □ 財政赤字を増す increase fiscal deficits
- □ 政府の汚職の危険性を増す increase the risk of government corruption

Step 3 ダイアローグ
Do the benefits of big government outweigh its disadvantages?

以下のダイアローグでは、２人の意見のポイントは何か、話が**かみ合っているか**、**改善すべき点は何か**、**どちらが強いアーギュメントか**を考えながら読みましょう。

❶ **Devi**

A lot of Americans think that big government is not effective. Even here in Japan, some politicians and economists advocate smaller governments. What do you think?

❷ **Meyer**

I am not sure that big government works well. It seems to me that government squeezes lots of money from hardworking citizens to help lazy people who **sponge off governments**.

強いポイントだがサポートなしで20点

❸ **Devi**

That sounds unfair. What if you fall ill and lose your job? Everybody needs help at some times in their life. Big government is better in ensuring people's livelihoods.

強い反論とサポートで40点

❹ **Meyer**

True, but I disagree with big government, which has negative impacts on the entire economy, **suppressing** the free market and **innovation**.

強い別ポイントとサポートで40点

日本語訳　大きな政府の是非を議論！

❶ Devi

多くのアメリカ人が大きな政府は非効率だと思っています。この日本ですら、一部の政治家や経済専門家がより小さな政府を支持しています。どう思いますか？

❷ Meyer

大きな政府がうまく機能するとは思えません。政府はまじめに働いている人から多くのお金をとって、政府のすねをかじる怠け者を援助しているように見えますから。

❸ Devi

それは公平な見方には思えません。あなたが病気になって失業したらどうしますか？　誰しも人生で何度かは助けが必要になります。大きな政府だから生活を保障できるのです。

❹ Meyer

確かに。でも大きな政府には賛同できません。自由市場やイノベーションを抑圧し、経済全体に悪い影響を与えますから。

ダイアローグで英語表現力 UP!

□ **sponge off the government**（政府のすねをかじる）

live/leech off parents（親のすねをかじる）leech は吸血するヒルのこと。

□ **suppress innovation**（イノベーションを抑圧する）

press は「押しつける」という意味で、suppress speech（言論を弾圧する）のように用いる。

❺ **Devi**

Far from it. Big government helps economic growth. Public investment in infrastructure leads to more employment and boosts individual income. Improved infrastructure will then **bolster** the national economy. Roads and airports are indispensable to a thriving economy.

痛烈な反論と強いサポートで40点！

❻ **Meyer**

You've got a point there, but big government is generally more corrupt than small government. Who decides how public funds should be spent? Politicians. Actually, they often make policies **in favor of** big businesses like construction companies. It's the private sector that should **shoulder** more burden of public services.

これまた強い別のポイントとサポートで40点！

❼ **Devi**

Corruption does occur more often in big government, but Northern European countries, the epitome of big government, are the most corruption-free and one of the most innovative countries in the world.

反論のサポートのみで20点

❽ **Meyer**

I see your point. But lavish spending often causes the kind of fiscal deficits Japan has been suffering.

別のすり替わったポイントで10点

❺ **Devi**

全く違います。大きな政府は経済成長を助けます。インフラへの公共投資は雇用を増やし個人の所得を増やすことになります。道路や空港は経済発展にとって不可欠なので、インフラの改善で国の経済がさらによくなります。

❻ **Meyer**

それは一理ありますが、大きな政府は小さな政府より概して腐敗します。誰が公的資金の使い道を決めていると思いますか？政治家ですよね。実際、彼らが建設会社のような大企業に有利なように政策を決めているのです。民間が公共サービスの負担をもっと背負うべきだと思います。

❼ **Devi**

汚職が起こりやすいことは認めますが、大きな政府の典型である北欧諸国は、世界で最も汚職が少なく、最もイノベーションを生んでいる国です。

❽ **Meyer**

そうですね。しかし政府が気前よくお金を使うと、日本が苦しんでいるように財政赤字になってしまうと思います。

ダイアローグで英語表現力 *UP!*

□ **bolster**（支える）

本来、枕の下に置く支持材のこと。「下支えして強化する」という意。bolster the regional economy（地域経済を活性化する）

□ **shoulder**（負担する）

肩で担ぐことから､費用などを負担するという意味に。類語のひとつに bear がある。

□ **in favor of**（〜の有利になるように、支持して）

favor は支持や好意的態度の意。I'm in favor of euthanasia.（安楽死に賛成である。）

❾ **Devi**

That is another point. Japan has been in the red because it has not raised tax rates to meet the expenditures.

話がそれて、流れて0点

❿ **Meyer**

OK, but generally big government will infringe on individual rights because it controls every aspect of everyday life by laws and regulations.

弱いポイントと特異な例によるサポートで30点

⓫ **Devi**

You are like conservative Americans! At least in Japan today, we can rely on the government for the protection of human rights. For example, hate speech against specific minority groups is controlled partly under the pressure from the Justice Ministry.

強い反論とサポートで40点！

⓬ **Meyer**

Are you sure? They just reluctantly issue critical statements when human rights violation happens. More importantly, regulations on hate speech will lead to limitation of free speech. Don't get me wrong, though. I just mean that voluntary groups, not government, should deal with hate speech.

弱い反論と弱い別のポイントで20点

❾ Devi

それは別の問題だと思います。日本が赤字なのは、支出に見合うだけ税率を上げてこなかったからです。

❿ Meyer

そうですね、でも大きな政府は個人の自由を侵害します。法やら規制やらで日常生活のあらゆる側面を縛りますから。

⓫ Devi

あなたはアメリカの保守派みたいですね！　少なくとも今日の日本では、人権保護のために、政府を頼りにすることができます。例えば、特定の少数派に対するヘイトスピーチは法務省の圧力のおかげで、抑えられています。

⓬ Meyer

本当にそう思っていますか？　役所は人権侵害が起こったときに、いやいや批判的なコメントを出しているだけです。もっと大事なのは、ヘイトスピーチへの規制が、言論の自由の侵害につながってしまうことです。誤解しないでください。政府ではなく、自発的に結成された団体がヘイトスピーチに立ち向かうべきだと言っているだけですから。

Step 4 ／ アーギュメントをJudge!

いかがでしたか？　今回は、Deviが賛成、Meyerが反対の立場でした。それでは英悟の超人Ichy Uedaによる講評を見てみましょう。

▶本文 pp. 246 〜、日本語訳 pp. 247 〜

❷ Meyer　計20点　▸▸ 立論20点／サポート0点

「政府は勤勉な市民から税金をとって、怠け者を援助している」と痛烈なポイントを述べているので20点ゲット！　ただし、サポートが述べられていないので、"Some people fraudulently receive public assistance even though they actually have an income."（実際には収入があるのにそれを偽って生活保護を受給している人もいる。）などの例を挙げると強くなります。

❸ Devi　計40点　▸▸ 反論20点／サポート20点

「大きな政府は生活を保障してくれる」という強い反論（20点）と、「病気になった時や失業した時に、助けが必要になる時が誰にでもありうる」と強いサポートを、"What if…?"（もし…だとしたらどうする？）というレトリックを用いて述べているので、説得力があります（20点）。計40点をゲット！

❹ Meyer　計40点　▸▸ 立論20点／サポート20点

「大きな政府は経済全体に悪い影響を与える」という強い別のポイント（20点）を述べ、「自由市場や技術革新を抑圧するから」とサポートをしています（20点）。合わせて40点ゲット！

❺ Devi　計40点　▸▸ 反論20点／サポート20点

「大きな政府は経済に悪影響を与える」という反対派の意見に、「大きな政府は経済成長に役立つ」と反論しています（20点）。「道路などのインフラ投資は雇用を増やし個人の所得を増やす」と強烈なサポート（20点）をしているので、計40点を獲得！

❻ Meyer　計40点 ▸▸ 立論20点/サポート20点

“You’ve got a point there”（あなたの言うことも一理ある）と相手の論を認めつつ、「小さな政府に比べて大きな政府は腐敗している」と強い別ポイント（20点）で反論しています。「建設会社のような大企業に有利な政策を作ることもよくある。公的サービスの負担を背負うべきは民間だ」というサポートも強く(20点)、合わせて40点ゲット！

❼ Devi　計20点 ▸▸ 立論0点/サポート20点

「大きな政府では、腐敗がもっと横行している」に対する反論はせず、相手に同調していますが、ここでは、“Big government is not necessarily corrupt.”（大きな政府が必ずしも腐敗するわけではない。）と反論すると強くなります。「世界で腐敗が最も少なく、最も創造力に富む国である、北欧諸国（Northern European countries）は大きな政府の典型」という部分は、一例（サポート）なので、20点。

❽ Meyer　計10点 ▸▸ 立論10点/サポート0点

話が急にlavish spendingにすり替わり、サポートもないため10点。本来なら、“Big government has a tendency for lavish spending, which often causes the kind of fiscal deficits Japan has been suffering.”（大きな政府は気前よくお金を使ってしまう傾向にあり、そのため日本が苦しんでいるような財政赤字になる。）と大きな政府の傾向として、lavish spendingを述べてから、サポートしていく必要があります。

❾ Devi　計0点 ▸▸ 立論0点/サポート0点

lavish spendingに相手の話がそれたのにつられて、「日本の赤字の原因」へと話が流れてしまっており、0点。あくまでも、「大きな政府のメリット」に話を戻す必要があります。

❿ Meyer　計30点 ▸▸ 立論15点/サポート15点

「大きな政府は個人の権利を侵害する（infringe on individual rights）」というポイントを、「法律や規制により日常生活のあらゆる面を管理するから」という理由でサポートしています。しかし、これは中国政府のような特異な例では見られるものの、通常の民主主義国家では起こりにくいため、弱くなっており、合わせて30点。個人の権利侵害の懸念だけでは十分な論拠とは言えず、次のようにもう少し説明が必要です。“A big government tends to intervene not only in the market but also in individual ideas and activities. For example, the government could put a specific value on schoolchildren in exchange for cheaper education.”（大きな政府は市場だけでなく個人の思想や活動にまで介入する傾向にある。政府は教育費を安くする代わりに特定の思想を生徒に吹き込むこともできる。）

⓫ Devi　計40点 ▸▸ 反論20点/サポート20点

❿Meyerに対して、「少なくとも日本では、人権保護のために政府は頼れる存在」と強く反論し（20点）、「例えば、ヘイトスピーチは法務省の圧力のおかげで抑えられている」とサポートもしている（20点）ので、合わせて40点ゲット！

⓬ Meyer　計20点 ▸▸ 反論10点/立論10点/サポート0点

「役所は人権侵害が起こったときに、いやいや批判的なコメントを出しているだけだ」というのは弱い反論なので10点。「ヘイトスピーチへの規制が言論の自由の侵害につながってしまう」というのは、別ポイントですが、これも弱く10点。

“相手の主張は無視せず、
何かの反応をしてから
自分の主張を述べよう！”

Step 5 トピック 17 のまとめ

いよいよアーギュメントの結果発表です！

Devi 賛成 140点

Meyer 反対 160点

「大きな政府」の強いキーアイディアはこれだ！

賛成  	① It will increase social welfare and decrease income disparity. （社会福祉の向上と所得格差の是正につながる）
	② It will promote economic development through public investment. （公共投資による経済発展を促す）
反対 	① It will undermine economic development and technological innovation. （経済発展と技術革新を阻むことになる）
	② It will increase fiscal deficits. （財政赤字を拡大させることになる）
	③ It will increase the risk of government corruption. （政府の腐敗のリスクが高まる）

TOPIC 18

消費税増税の是非を議論！

Do the benefits of consumption tax hike outweigh its disadvantages?

財政再建になるのか
景気の減速につながるのか？

難易度 ★★★★
論争度 ★★☆☆
ジャンル 経済・ビジネス

Step 1 背景知識を日本語でInput！

消費税はお小遣いでお菓子を買う子どもでも意識するくらい身近な税ですが、その歴史は長くありません。特定の物品（タバコなど）にかける物品税（an excise tax）は古来よりありましたが、消費一般に課税したのはフランスが最初です。その後1970年代半ばまでに西ヨーロッパ諸国で導入されました。

日本がかなり遅れて消費税を導入したのは1989年のことで、当初の税率は3%でした。その後1997年に5%、2014年に8%、2019年に10%に引き上げられましたが、OECD諸国の平均である19%と比べると低率です。消費税は日本の税収の3分の1程度を占めており、膨大な財政赤字（a huge fiscal deficit）の削減と年金・医療・教育の維持・拡充のためには、さらなる増税が必要だとされています。

ところが、消費税にはいくつかの難点があります。消費税には低所得者の負担が重くなる逆進性（regressivity）があると指摘されています。この弊害を軽くするために日本では軽減税率（reduced tax rates）が設定されています。贅沢品には正規の税率を適用する一方、食料品や新聞などの生活必需品には低い税率を適用するという仕組みです。しかし、スーパーなどでは同じ店の商品でも税率が異なるものが混在したり、飲食店では同じ商品でも持ち帰りと店内飲食で税率が異なるなど、消費者にとってのわかりにくさも課題です。また、提供する商品やサービスに軽減税率の適用を求める業界が、政治へ不正な介入をすることも懸念されています。そのため、軽減税率を設けず低所得者には給付プログラムで還元する方がよいという意見もあります。

消費税の問題は、税率だけを問題にするのではなく、他の税—所得税（an income tax）、法人税（a corporate tax）、たばこ税・酒税、固定資産税（a fixed property tax）など—と社会保障（負担と給付）を総合的に考える必要があります。なお、日本で消費税と呼んでいる税は、アメリカでは売上税（a sales tax）、ヨーロッパでは付加価値税（a value-added tax）と呼ばれています。最終消費者のみに課すか、業者間取引にも課すかなど、税制上の厳密な違いがあります。

Step 2 背景知識を英語でInputし、さらに問題意識をUP!

パッセージを読んで、以下の質問について考えてみましょう。
❶ いつ頃どこで消費税は始まりましたか？
❷ 消費税の利点と欠点は何ですか？

Taxes on specific commodities such as salt **date back to** ancient times, but modern **consumption tax**, or **value-added tax**, which **is levied on** the general consumption of goods and services, was first introduced in France in 1954. Western European countries started imposing this tax on consumers in the 1970s mainly to **finance** social welfare programs. Consumption tax is said to be fairer and more reliable than **income tax** because consumers pay taxes through businesses, which prevents **tax evasion**. Some economists refer to point out **regression** as **a major drawback to** consumption tax arguing that **low-income earners'** share of expenditures on **daily necessities** is higher than that of **high-income earners**. In this sense, they argue that a higher consumption tax affects lower-income citizens more negatively.

日本語訳

塩のような特定の物品への課税は、古代**に遡ります**。しかし、モノとサービスの一般消費**に課税される❶消費税（付加価値税）**は、1954年にフランスで初めて導入されました。1970年代に西ヨーロッパ諸国は、主に社会福祉政策**の財源とする**目的で消費税導入に踏み切っていきました。❷事業者を通じて納税する点で**脱税**が難しいので、消費税は**所得税**よりも公平で信頼できると言われています。経済学者の中には、**❷低所得者**の**生活必需品**の支出割合は**高所得者**より大きいので、消費税のもつ**逆進性**が**主な欠点**だとする人もいます。この点で、消費税は低所得者にとって不利に働くとされています。

「消費税増税」を議論するための表現力を *check!*

- □ 脱税を防ぐ prevent tax evasion
- □ 低中所得者 low- and middle-income earners 「低所得者層」は the low-income bracket
- □ 法人税 a corporate income tax 「相続税」は an inheritance tax
- □ 財政赤字を削減する reduce fiscal deficits
- □ 公共サービスの質が高まる enhance the quality of public service
- □ 政府に安定税収をもたらす provide stable tax revenues to the government
- □ 経済成長を鈍化させる undermine economic development
- □ 低所得者への経済負担を増す increase financial burden on lower-income earners
- □ 政府の無駄遣いの危険を増す increase the risk of the government's wasteful spending
- □ 消費税の「逆進性（高収入の人ほど消費税率の負担割合が下がる現象）」 "regressivity" of a consumption tax 「累進課税」は progressive taxation
- □ 一律の税率 across-the-board tax rate
- □ 所得額に関係なく一律で at a uniform rate regardless of their income

Step 3 ダイアローグ
Do the benefits of consumption tax hike outweigh its disadvantages?

以下のダイアローグでは、2人の意見のポイントは何か、話が**かみ合っているか**、**改善すべき点は何か**、**どちらが強いアーギュメントか**を考えながら読みましょう。

❶ **Meyer**

Many people in Japan were reluctant to increase the consumption tax hike to 10 percent. But I believe that the hike was unavoidable, considering the ballooning fiscal deficit. What's your take on that?

強いポイントを述べているが、サポートなしで20点

❷ **Devi**

I don't think it was a good idea. Instead, what we have to do is stop the government from wasting tax-payers' money. For example, politicians and officials are paid too much for their **lackluster** performance in politics. People are **indignant** about their mismanagement.

強い反論を述べているが、サポートが弱く30点

❸ **Meyer**

Just cutting expenditures? This country is mired in a huge fiscal deficit. I don't think we can change the situation just by **slashing** legislators' pay. To maintain public services, the government needs a stable revenue source. By the global standard, the consumption tax rate in Japan is still very low. In Europe, VAT rates are around 20 percent. We must follow their example to improve social security programs.

強い反論とサポート、別の強いポイントと弱いサポートで65点

日本語訳　消費税増税の是非を議論！

❶ Meyer

消費税を10%に上げるのに及び腰の人が日本では多かったですね。でも、ふくらみ続ける財政赤字を考えたら増税は避けられなかったと私は思います。どう思いますか？

❷ Devi

増税がよかったとは思いません。それよりもやらないといけないのは、政府に血税の無駄遣いをやめさせることです。例えば、政治家や役人は政界でのぱっとしない仕事に対して給料をもらいすぎています。みんなはそういう不適切な運用に怒っているのです。

❸ Meyer

歳出を削減するだけ？　この国は巨額の借金を抱えています。国会議員の報酬を削るだけで状況がよくなるとは思えません。公共サービスを維持するために、政府は安定した財源を必要としています。国際的には日本の消費税率はまだかなり低いです。ヨーロッパでは付加価値税の税率は20%ぐらい。社会保障を充実させるためにもヨーロッパに倣う必要があります。

ダイアローグで英語表現力 *UP!*

□ **lackluster**（精彩を欠いた）

luster は光沢の意。a lackluster performance（パッとしない演技・演奏）
類 sluggish（鈍い、不活性な）the sluggish economy（停滞する経済）

□ **indignant**（憤慨している）

不正や不公正に対し怒りを覚える。indignant about social injustice（社会的不正義に憤慨する）

□ **slash**（削減する）

本来刃物でさっと切るという意。類語に cut、trim、slim down などがある。

❹ Devi

OK, but why only consumption tax? We could also raise income or property taxes so that lower-income people suffer less. Taxes on businesses and affluent individuals have been reduced in the last few decades, which has **exacerbated** the economic disparities.

弱い反論と強いサポートで30点

❺ Meyer

You may be right, but the consumption tax was introduced because income and corporate taxes are not a stable source of revenue. During the recession, when the government needs funds for fiscal stimulus packages, the revenues will go down with that taxation policy. Consumption tax revenue is relatively stable even in a recession. Besides, tax evasions are far less common in consumption tax than in other tax duties.

強い2つのポイントだがサポートがなく40点

❻ Devi

I disagree. A consumption tax hike will **dampen domestic consumption**, thus undermining the Japanese economy. Therefore, we can maintain the safety net only by raising income and corporate taxes on wealthy individuals and companies.

弱いポイントと弱いサポートで20点

❹ Devi

そうですね、でもなぜ消費税だけですか？　所得税や財産に対する税金を上げることができますし、そうすれば低所得の人たちも苦しみません。企業や富裕層は過去数十年の間に減税されていて、経済格差がひどくなってきているのです。

❺ Meyer

そうかもしれませんが、消費税は所得税や法人税が安定財源でないから導入されたのです。不況時には財政刺激策のため政府は財源を必要とするけど、その税制政策では歳入は下がります。消費税の税収は不況にあっても比較的安定しています。さらに、消費税の脱税は他の税種と比べて起こりにくいです。

❻ Devi

そうは思いません。消費税の増税は国内消費を冷え込ませ、日本経済は悪化していくでしょう。羽振りのいい個人や企業に課す所得税や法人税を上げればセーフティーネットは維持できます。

Semi-Final ▸ Game 1

ダイアローグで英語表現力 *UP!*

□ **exacerbate**（悪化させる）
すでに悪いものをさらに悪化させる。名 exacerbation　類 aggravate（悪化させる、深刻化させる）

□ **dampen domestic consumption**（国内消費を冷え込ませる）
dampen は「(活動・熱意などを）鈍らせる、弱める」時に使う。

Step 4 アーギュメントをJudge!

いかがでしたか？　今回は、Meyer が賛成、Devi が反対の立場でした。それでは英悟の超人 Ichy Ueda による講評を見てみましょう。

▶本文 pp. 260 〜、日本語訳 pp. 261 〜

❶ Meyer　計20点 ▶▶ 立論20点/サポート0点

「ふくらみ続ける財政赤字を考えたら増税は避けられなかった」というポイントを述べていますが、サポートがないので20点。

❷ Devi　計30点 ▶▶ 反論20点/サポート10点

「財政赤字対策として増税は仕方なかった」という相手の論に対して、「納税者の税金の無駄遣いを政府がやめることが先決」と間接的に反論しており、20点。ただし、サポートが「政治家や役人はぱっとしない仕事に対して給料をもらい過ぎ」では弱いので10点。ここでは、具体的に歳出削減すべき分野を挙げ、サポートを強める必要があります。

“自分の主張を弱める発言をしないようにしよう！”

❸ Meyer　計65点 ▸▸ 反論20点／立論20点／サポート25点

「議員の報酬カットだけでは、状況は変わらない（財政赤字は補えない）」と反論し（20点）、莫大な赤字を抱えているとサポートしています（15点）。ここでは例えば、"The government has deficits especially in the fields of national defense and public works projects."（特に防衛費とか公共事業の分野で、政府は赤字を抱えている。）のように述べると説得力が増します。別のポイントとして「安定した財源確保のため消費税が必要」と述べており20点。その後、「ヨーロッパの付加価値税率20%と比べると、国際的には日本の税率はかなり低い。社会保障を充実させるためにもヨーロッパに倣う必要がある」とethosを使って説得しようとしていますが、「他国に倣う」ことが必要な積極的な理由が述べられていないため、弱いサポートで10点。ここは、例えば、"In Western European countries, VAT rates are around 20 percent, but their economies don't seem worse than that of Japan. Importantly, they accept such high rates as a necessity for welfare. In Japan, too, consumers might be taken aback by the inflated rates, but soon they will get used to the tax hike and understand it is necessary."（西ヨーロッパ諸国では付加価値税は20%ぐらいだけど、日本より経済が悪くはないようです。重要なのは、彼らはそのように高い税率も福祉には必要だと受け入れていることです。日本でも、消費者は上がった消費税率に面食らうかもしれないが、すぐに慣れて増税は必要だったと理解するでしょう。）のようにサポートすると強くなります。

❹ Devi　計30点 ▸▸ 反論10点／サポート20点

「消費税だけ？　所得税や財産税も上げないと」と反応しており、消費税増税を認めたことになってしまっています。ここは、not A but Bを使い、"raise not consumption tax but income or property taxes"（消費税でなく、所得税や財産税の増税）と論を運ぶべきで、反論点は弱く10点。「企業や富裕層は減税されていて経済格差を生んでいる」というサポートは強いので20点。

❺ Meyer　計40点 ▸▸ 立論40点/サポート0点/減点0点

「富裕層への減税で経済格差が生まれている」という相手の論に対しては、"You may be right." と主張を認めています。ここでの反論の例として、"I'm not opposed to raising income and corporate taxes. We can minimize negative impacts on lower-income earners by imposing reduced taxes on daily necessities such as food and electricity. Or we could start a new type of financial aid for lower-income households."（所得税や法人税の値上げには反対ではありません。食料品や電気のような生活必需品には軽減税率を課すことで、低所得者への悪影響を最小化したり、低所得世帯向けの新たな資金補助制度を始めたりして、格差を減らすことができます。）と言うこともできます。続いて、ひとつ目のポイント「所得税や法人税は安定財源でない。消費税は不況時でも比較的安定が見込まれる」は強く、20点ゲット！　また、ふたつ目のポイントとして「消費税は他の税と比べて脱税（tax evasion）が起こりにくい」と消費税の強い利点を述べているので20点獲得ですが、そのメカニズムに踏み込み、「所得税や法人税にみられるような法律の抜け穴（legal loophole）が、消費税には少ない」などのサポートが欲しいところです。

❻ Devi　計20点 ▸▸ 立論10点/サポート10点/減点0点

相手の「安定税収」と「脱税しにくい」という2つのポイントには、I disagree. と述べているだけで、反論の理由がありません。「消費税増税で経済は減速する」というポイントですが、どの税金も増税すると多少なりとも経済を減速させるので、特に消費税がそうさせることを述べる必要があり、弱いので10点。ここでは、"A consumption tax hike will dampen domestic consumption much more than income tax and corporate tax."（消費税増税は、所得税や法人税の増税に比べて、より経済を減速させる。）と述べるとよいでしょう。「所得税・法人税を上げるだけで福祉（safety net）は維持できる」というサポートは、少し無理があるので10点。

Step 5 ／ トピック 18 のまとめ

いよいよアーギュメントの結果発表です！

VS

Devi
反対
80点

「消費税増税」の強いキーアイディアはこれだ！

  賛成	① It is an economic imperative to reduce fiscal deficits. （財政赤字を削減することは経済的に必須である）
	② It will enhance the quality of public service. （公共サービスの質を向上させることができる）
	③ It will provide stable revenues to the government. （政府に安定した収入をもたらすことができる）
  反対	① It will undermine economic development. （経済発展の妨げになる）
	② It will increase financial burden on lower-income earners. （低所得者の経済的負担が大きくなる）
	③ It can increase the risk of the government's wasteful spending. （政府の無駄な支出のリスクを高めることになる）

★★ Semi-Final ★★

Game No.1

結果発表

2つのトピックを通しての、2人の合計得点を見てみましょう。

17 Do the benefits of big government outweigh its disadvantages?

140点 VS 160点

18 Do the benefits of consumption tax hike outweigh its disadvantages?

80点 VS 125点

合計

220点  285点

Leon Meyer の勝利！

Semi-Final

Game No.2

VS

TOPIC

19

資本主義の是非を議論！

Do the benefits of capitalism outweigh its disadvantages?

20

原子力発電の是非を議論！

Do the benefits of nuclear power generation outweigh its disadvantages?

TOPIC 19

資本主義の是非を議論！

Do the benefits of capitalism outweigh its disadvantages?

世界経済を発展させるのか
格差社会を悪化させるのか？

難易度 ★★★☆
論争度 ★★★★
ジャンル 経済・ビジネス

Step 1 背景知識を日本語でInput！

資本主義の「資本」とは何でしょうか？　一般的な意味では、事業を始めるにあたって必要になる元手のことです。資本がない人は労働力を提供して賃金を得ますが、資本がある人は利息や地代、株売却益などの不労所得（an unearned income）を手に入れます。そのため、資本主義では貧富の格差が避けられません。資本家は不労所得を再投資して資本を増やす一方、労働者は貧困にあえぎます。さらに、私有財産は相続されるので、貧富の差は世代を超えて受け継がれます。

資本主義では私有財産制（private property）なので、基本的には家や土地、貨幣などは個人の所有権が尊重されます。私有財産には、公共の利益のために税が課されますが、割合、税種、用途は常に議論の対象になります。また、資本主義は市場原理（market principle）に基づくため企業間および個人間で競争があります。それが技術革新（innovation）を生み製品の性能やサービスの質の向上を促進します。

19世紀後半から20世紀前半にかけては、不況による失業、社会不安、海外市場開拓・原料調達地獲得を目的とする帝国主義（imperialism）、そして帝国間の戦争（究極は第一次世界大戦）などの資本主義が抱える問題が噴出しました。これに対しソビエト連邦は、国家主導の計画経済（the planned economy）を導入し格差是正を目指しましたが、市民の経済的自由が侵害されました。競争原理が働かなかったために民生分野で技術革新が進まず、経済衰退と政治的混乱を招いたソ連は1991年に崩壊しました。

このように資本主義は多くの問題を抱えていますが、その原理に取って代わる経済社会体制はまだ生まれていません。現状では、多くの国が税や保険料により社会保障を充実させ、所得を再配分することで、資本主義の難点を軽減しています。今後、根本的にこの仕組みが変わる日はくるのでしょうか。

Step 2 / 背景知識を英語でInputし、さらに問題意識をUP!

パッセージを読んで、以下の質問について考えてみましょう。
❶ 資本主義にはどのような特徴がありますか？
❷ 社会主義はなぜ失敗したのでしょうか？

Capitalism, characterized by **private property** and **a free market**, is an economic and social system adopted by most countries in the world. According to Karl Marx, capital increases by exploiting **surplus-value** yielded by workers. **Simply put**, capitalists will get richer and richer while workers without capital will remain poor.

Although **socialism** aimed to solve the issues caused by capitalism, it failed as it involves **forcible government intervention** not only in private property but also in **private decision-making**. In today's world, people are not simply divided into **capital** and **labor**. Workers can, though not often, become **stockholders** and consumers of luxury goods. Thus we have modified capitalism so that the above-mentioned problems could be **minimized**. As long as **social welfare programs** remain effective, modified capitalism looks likely to survive **for the time being**.

日本語訳

私有財産制と**自由市場**により特徴づけられる**資本主義**は、世界の大半の国が採用する経済社会システムです。カール・マルクスによれば、労働者により生み出される**剰余価値**を搾取することで資本は増殖します。**簡単に言えば、**❶資本家はどんどんお金持ちになっていく一方、資本を持たない労働者は貧しいままです。

社会主義は資本主義が引き起こす問題の解決を目指しましたが、❷私有財産だけでなく**個人の選択**にまで**政府の強制的な介入**を伴うこともあり、失敗してしまいました。今日の世界では単純に**資本家**と**労働者**には分けられません。頻繁でなくとも労働者も**株主**になれますし、ぜいたく品を買うこともできます。先に挙げた問題を**最小化する**べく資本主義は修正を重ねてきました。**社会福祉制度**が機能している限りでは、この修正資本主義は**当面**存続するように思われます。

「資本主義」を議論するための表現力を *check!*

- □ 自由貿易により世界に経済的繁栄をもたらす
  create economic wealth for the world through free trade
- □ 競争を通して技術革新に大きく貢献する
  contribute greatly to technological innovation through competitions
- □ 競争による価格の低下 price reduction through competition
- □ 消費者へ利益をもたらす bring benefits to consumers
- □ 経済格差が拡大する widen economic disparity 「貧富の格差」は polarization of rich and poor
- □ 世界的な金融不安を起こす cause global financial instability
- □ 世界の環境悪化 global environmental degradation
- □ 世界の貿易や投資を刺激する stimulate global trade and investment
- □ 市場経済 a market economy ⇔ 中央計画経済 a centrally planned economy
- □ 利益を追求するあまり、社会的に無責任になる
  become socially irresponsible in the pursuit of profits

Step 3 ダイアローグ
Do the benefits of capitalism outweigh its disadvantages?

以下のダイアローグでは、2人の意見のポイントは何か、話が**かみ合っているか**、**改善すべき点は何か**、**どちらが強いアーギュメントか**を考えながら読みましょう。

❶ Lim

The economic gap between rich and poor has been widening in the capitalist world. In fact, the richest one percent, which has forty percent of the world assets, has the greatest influence on the political and economic world. Democracy is at the mercy of **affluent** people. Capitalism, which is the root cause of current income disparity, must be radically reformed.

強いポイントとサポートで40点ゲット！

❷ Brown

Well, I don't see capitalism that way. Actually it has contributed to economic and technological progress for better lives.

強いポイントだがサポートがなく20点

❸ Lim

You are right, but **the fact remains that** capitalism is characterized by the exploitation of workers, allowing only rich people to make huge profits.

反論で失敗するが、強いポイントを述べ、サポートは少ないものの25点

日本語訳 | 資本主義の是非を議論！

❶ **Lim**

資本主義社会で貧富の格差がどんどん広がっています。実際、世界の総資産の40%を所有する1%の最富裕の人々が、政治と経済に最も強い影響力を持っています。民主主義は富裕層に牛耳られています。所得格差の元凶である資本主義の仕組みそのものを根本から変革しないと。

❷ **Brown**

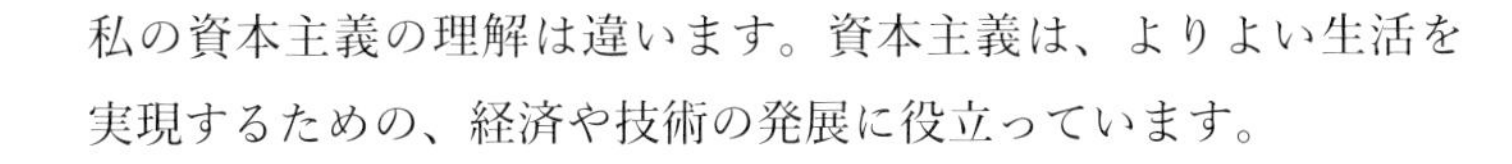

私の資本主義の理解は違います。資本主義は、よりよい生活を実現するための、経済や技術の発展に役立っています。

❸ **Lim**

言えていますが、資本主義の特徴は労働者搾取で、金持ちだけが巨利を得ているということもまた事実です。

ダイアローグで英語表現力 *UP!*

□ **affluent**（裕福な）

横暴な振る舞いなど金持ちの問題行動を指す affluenza という新語もある。affluent と influenza を合わせてできた造語。

□ **the fact remains that...**（…という事実に変わりはない）

that 以下の事実に注目してほしい時に使う。

❹ **Brown**

Exploitation? That sounds anachronistic. The rich help poor people by paying taxes and making donations. Moreover, workers today are consumers and even capitalists by investing in the stock and real estate markets. Most of them enjoy the freedom of choice as consumers. Economic freedom is also essential to political freedom. Capitalism brings personal freedom and social diversity, not just economic inequality. You know what became of the Soviet Union, don't you?

弱い反論、強いポイントとまあまあなサポートで40点

❺ **Lim**

I understand the working class are not as miserable as they used to be, but we are not born equal in the capitalist world. While some kids **are born with silver spoons in their mouths**, others are born into **underprivileged** families. Thus, we need to improve the safety net for socially disadvantaged people, addressing the problem of the income disparity at birth.

反論ルール違反で減点、強いポイントとサポートで30点

❻ **Brown**

That's why we need to embrace capitalism, not deny it. Social programs based on tax revenues are the most important. We can discuss fairer rates of taxation and how to spend tax revenues to achieve economic equilibrium.

論理が崩壊した反論とサポートで0点

❹ Brown

搾取？　なんか時代錯誤ですね。金持ちは納税と寄付で貧しい人々を助けています。さらに、今の労働者は消費者でもあり、株や不動産市場に投資する資本家でもあります。ほとんどの労働者は消費者として選ぶ権利を享受しています。それに、経済的自由は政治的自由にとっても重要です。資本主義は経済格差を生むけれど、個人の自由と社会の多様性をもたらしてくれます。ソ連がどうなったか知っていますよね？

❺ Lim

労働者が以前ほど困窮してないことはわかりますが、資本主義世界にいる我々は生まれたときから平等ではありません。金持ちの家に生まれる子もいれば、貧困家庭に生まれる子もいます。この出生時の格差をできるだけ小さくし、社会的に不利な人々を救うセーフティーネットを拡充する必要があります。

❻ Brown

そう、だから、資本主義を否定するのではなくて受け入れる必要があります。税収に基づく社会保障制度が一番重要です。経済的なバランスをとるため、より公平な税率、税金の使い方について議論できます。

ダイアローグで英語表現力 *UP!*

□ **be born with silver spoons in one's mouth**（生まれながらに金持ちである、高貴な家に生まれる）

銀食器は貴族や金持ちのステータスシンボルだった。

□ **underprivileged**（恵まれない）

poor などは貧しいと露骨なので、政治的公正（politically correctness / PC）の観点からこのような表現がよく用いられるようになった。socially disadvantaged も PC 表現。

❼ Lim

Yes, I believe the wealthy have to contribute more. You have a point there. Another problem with capitalism is that it will damage the environment.

論理がそれた反論と、強いポイントがあるがサポートがなく20点

❽ Brown

True, so governments should make legislations to protect public interest.

反論できず、それたポイントで0点

“私の出身国であるアメリカは、
資本主義の象徴と言われてきましたが、
近年では社会主義を支持する人が
増えています。”

❼ **Lim**

はい、富裕層はもっと貢献すべきだと思います。それも一理あります。もうひとつの問題は、資本主義は環境を破壊するということです。

❽ **Brown**

そうですね、だから政府が公共の利益を守る法整備をしないと。

Step 4 / アーギュメントをJudge!

いかがでしたか？　今回は、Brown が賛成、Lim が反対の立場でした。それでは英悟の超人 Ichy Ueda による講評を見てみましょう。

▶本文 pp. 274 ～、日本語訳 pp. 275 ～

❶ Lim　計40点 ▸▸ 立論20点/サポート20点

「資本主義は格差社会の原因である」という強いポイント（20点）を述べ、「世界の富の4割をトップ1%が所有し、政財界で幅を利かせている」と強くサポートしています（20点）。

❷ Brown　計20点 ▸▸ 反論0点/立論20点/サポート0点

相手の「資本主義が格差社会を生む」という論に対しては、反論の理由を述べずに、自分のポイントへ移っていますので反論点は0点。資本主義のメリット「よりよい生活実現のための、経済や技術の発展に寄与する」は強いポイントで20点ですが、競争市場の中で経済や技術が成長した具体例を提示し、サポートしてほしいところです。

❸ Lim　計25点 ▸▸ 立論20点/サポート15点/減点10点

ここで You are right と述べると、「経済・技術発展に寄与する」という相手の意見を完全に認めてしまうことになり（－10点）不利なので There's some truth to it, but…（おそらく一理あるが…）くらいの弱い表現にとどめておきましょう。次に資本主義のデメリットである「労働者搾取が起こる」と強いポイントを述べていますが、「富裕層のみが巨万の富を得る」というサポートは少ないので15点。

❹ Brown　計40点 ▸▸ 反論10点/立論20点/サポート10点

「労働者搾取」に対する「時代錯誤だ（anachronistic）」という反論は、現代でも搾取はあるため弱く、その後の、「納税と寄付で富める者が貧しい者を助けている（から搾取ではない）」という論点は「搾取」からそれるので10点。Moreover以下では、「現在の労働者は消費者と資本家としての側面も持つ」という別のポイントを指摘していますが、弱いので10点。次の「政治的自由」のポイントは強くサポートも多いですが、現代の労働者の位置付けは、以下のようにもう少し詳しく述べた方がいいでしょう（立論20点、サポート10点）。"Unlike Marxist rigid image, workers in modified capitalism act also as consumers and capitalists. In this sense, everyone has freedom of choice, by which political freedom can be secured."（マルクス主義の硬直したイメージとは違って、修正資本主義における労働者は消費者や資本家としても活動している。この意味で誰もが選択の自由を持っていて、その自由があるから政治的な自由も確保される。）また、「資本主義は経済の不平等だけではなくて、個人の自由や社会的な多様性をもたらす」というポイントですが、not justを入れてしまうと、相手の論を認め自分を弱めてしまうので、ここはrather thanとするか、notとする必要があります。You know what became of the Soviet Union, don't you?は、単に「ソ連の例を見てください」と比喩的に言っているだけで、説明不足です。「共産主義政権だったソ連では個人の自由も社会の多様性もなかった。」のように、きっちりと言葉で説明する必要があります。

❺ Lim　計30点 ▸▸ 立論20点/サポート20点/減点10点

相手の論を無視しているので−10点。「資本主義社会では、生まれつき不平等」というポイントは強く、20点獲得。そのサポートも「金持ちの家に生まれる（be born with silver spoons in their mouths）子もいれば、恵まれない家庭（underprivileged families）に生まれる子もいる」と多彩な表現を駆使しており力強く、20点ゲット！

❻ Brown　計0点 ▸▸ 反論0点／サポート0点

相手が述べた「生まれながらの不平等」という資本主義のデメリットに対し、「だから資本主義を否定せず受け入れる必要がある」と述べるのは論理が崩壊しており、0点。そのサポート「公平な税率や税金の使い方を議論する必要がある」も、資本主義の本質に触れずに、論理をすり替えているので0点。

❼ Lim　計20点 ▸▸ 反論0点／立論20点／サポート0点

「富裕層がもっと貢献すべき」は、相手の資本主義の本質に関する論点からそれた「公平な税金の使い方を議論すべき」という発言に流されていて、しかも論点がそれてしまっているので0点。相手が論題からそれても、常に、本論に戻す冷静さが必要です。「資本主義は環境を破壊する」という強いポイント（20点）で、やっとデメリットに戻りました。しかし、市場原理を進める中で後回しにされる資源・環境への悪影響についてのサポートがなく、残念です。

❽ Brown　計0点 ▸▸ 反論0点

相手のポイントである「環境破壊」という資本主義のデメリットに対しては、True, と認めて反論できず、「だから市民の利益を守るための法律を政府は作るべき」と、論理をそらせて終わっており、0点！

“相手の論点からそれた主張に流されないようにしよう！”

Step 5 トピック 19 のまとめ

いよいよアーギュメントの結果発表です！

Brown 賛成 60点

Lim 反対 115点

「資本主義」の強いキーアイディアはこれだ！

賛成 	① It creates economic wealth for the world through free trade. （自由貿易により世界に経済的繁栄をもたらす）
	② It contributes greatly to technological innovation through competitions. （競争を通じて技術革新に大きく貢献する）
	③ It will bring benefits to consumers by price reduction through competition. （競争による価格低下で、消費者にもメリットがある）
反対  	① It will widen economic disparity. （経済格差が拡大する）
	② It can cause global financial instability. （世界的な金融不安を引き起こすことになる）
	③ It will lead to global environmental degradation. （地球環境の悪化を招く）

TOPIC 20

原子力発電の是非を議論！

Do the benefits of nuclear power generation outweigh its disadvantages?

効率のいい安定電力供給か
環境への脅威となるか？

難易度 ★★★★
論争度 ★★★★
ジャンル 環境

Step 1 背景知識を日本語でInput！

「原子力明るい未来のエネルギー」。福島第一原子力発電所がある福島県双葉町の小学生が、原子力技術の進歩により地元の生活が豊かになることへの期待を素直に表現したスローガンです。2011年3月の東日本大震災（the Great East Japan Earthquake）で発生した巨大津波は、福島原発を破壊しました。原子炉建屋が相次いで水素爆発し、飛散した放射性セシウム（radioactive cesium）により周囲にもたらされた深刻な放射能汚染（radioactive contamination）を目の当たりにした今となっては、そんな楽観的な期待は皮肉に聞こえます。ただ、原子力というと原子爆弾（atomic bombs）のイメージが強かった唯一の被爆国日本においても、原子力の平和利用の名の下に原子力発電が推進され、原発立地地域に大きな経済効果をもたらしたことは否めません。事故後は旗色の悪い原子力ですが、原子力発電の功罪は福島の事故を超える文脈で考える必要があります。

原子力発電で懸念される大きな問題は、2点あります。1点目は核廃棄物処理の問題です。原発からは事故が起きなくても、放射性廃棄物は出続けます。2点目は事故による放射能汚染です。1986年に発生したソ連（現ウクライナ）のチェルノブイリ（Chernobyl）原発事故は、国際原子力事象評価尺度（the INES rating）で福島と並んで最も深刻なレベル7に分類されており、福島の6倍もの放射性物質が放出されました。チェルノブイリでは、周囲の住民の健康被害、特に子どもの甲状腺がん（thyroid cancer）が問題となりました。周辺地域では小児がんに占める甲状腺がんの割合が他地域の10倍を超えています。廃炉作業にも終わりは見えません。コンクリートの覆い「石棺」で原子炉そのものが塞がれましたが、石棺の老朽化が進みさらなる汚染が懸念されています。

一方、原子力発電の利点は、電気供給の安定性と比較的安いコスト、温室効果ガスの不排出です。原子炉が一旦起動すると日夜問わず大きな電力を一定して作れるので、ベース電源として石油に比べ安価です。さらに、発電過程からは二酸化炭素を排出しないので地球温暖化対策にも有効だとされています。

Step 2 背景知識を英語でInputし、さらに問題意識をUP!

パッセージを読んで、以下の質問について考えてみましょう。
❶ 原子力発電の事故はどのような被害をもたらしましたか？
❷ 原子力発電はどのような国々にとって魅力的なのでしょうか？

In 1954, the Soviet Union **launched** the world's first **nuclear power station** for **a power grid** in Obninsk. Nuclear power generation has since become widespread around the world. Nuclear power is considered one of the greatest inventions of the 20th century.

It has dark sides to this remarkable invention, however. Accidents such as Chernobyl and Fukushima have **displaced** a large number of local people and damaged the economies in the regions. In addition, the **diffused radioactivity** is said to have caused **thyroid cancer** in some people. What is worse, **radioactive substances** could **fall into the hands of terrorists** through **illicit trafficking**.

Nevertheless, nuclear energy seems attractive for developing nations **plagued by chronic power shortages**. Though renewable energy sources are often **touted as** solutions for global warming, they will not satisfy **skyrocketing** demand for electric power in places like China, India, and many other **energy-thirsty** countries.

日本語訳

1954年、ソ連により**送電網**に接続された**原発**の運用が、世界で初めてオブニンスクで**始まりました**。以降、原子力発電は世界中に広がりました。原子力は20世紀最大の発明のひとつとされています。

しかし負の側面もあります。❶チェルノブイリや福島のような事故で多くの地元民が**避難を余儀なくされ**、地元経済を破壊しました。**撒き散らされた放射能**は**甲状腺がん**の原因となったと言われています。さらに悪いことに、**放射性物質**は**違法取引**を通じて**テロリストの手に渡る**可能性があります。

それでも、❷原子力は**慢性的な電力不足に悩まされている**途上国にとっては魅力があります。再生可能エネルギーは温暖化解決への道と**もてはやされています**が、中国やインド、その他多くの**エネルギー不足**に悩む国々の**急上昇する**電力需要には追いつきません。

「原子力発電」を議論するための表現力を*check!*

- □ 安定供給でき、コスト効率のよいエネルギー源 a stable and cost-effective source of energy
- □ 二酸化炭素の排出量を削減する reduce CO_2 emissions 「温暖化を緩和する」は alleviate global warming
- □ 核廃棄物処理 nuclear waste disposal 「放射性廃棄物」は radioactive waste、「使用済み燃料処理」は spent fuel disposal
- □ 広範な放射能汚染を引き起こす cause massive radioactive contamination
- □ 原子力事故を引き起こす潜在的リスク the potential risk of causing nuclear accidents
- □ テロリストの攻撃にさらされる (be) subject to terrorist attacks
- □ 核兵器開発への悪用される (be) misused for nuclear weapon development
- □ エネルギー自給率 energy self-sufficiency rate
- □ 反原発／脱原発 denuclearization
- □ 増加する世界のエネルギー需要に応える meet rapidly increasing global energy demand

Step 3　ダイアローグ
Do the benefits of nuclear power generation outweigh its disadvantages?

以下のダイアローグでは、2人の意見のポイントは何か、話が**かみ合っているか**、**改善すべき点は何か**、**どちらが強いアーギュメントか**を考えながら読みましょう。

❶ **Lim**

I saw an antinuclear power generation protest near the station on my way here. I would have joined them if I hadn't had to come here today.

❷ **Brown**

I wonder how seriously such protesters are thinking about the effects on our future lifestyles. They say we should use more renewable energy such as solar and wind power, but they don't consider how much cost it will take.

ポイントもサポートも間接的で20点

❸ **Lim**

If we come to depend more on renewable energy, the costs will likely decrease. Moreover, future technological developments will reduce the costs.

反論は根拠がないが、強いポイントで20点

日本語訳 原子力発電の是非を議論！

❶ Lim

ここへ来る途中に駅の近くで反原発デモを見ました。ここに来る用事がなかったら私も参加したかったくらいです。

❷ Brown

反原発派は将来の暮らしへの影響を真剣に考えているのか怪しいなと思います。もっと太陽光や風力など自然エネルギーを使えと言うけれど、どれだけコストがかかるのか考えていないですよね。

❸ Lim

もっと自然エネルギーを使えば、コストは下がるはずです。さらに、将来の技術の進歩でコストは下がります。

❹ **Brown**

But nuclear power is not only cost-effective, but also very stable. That's why so many developing countries suffering from a **population surge** have been turning to nuclear power. Can you stand frequent power outages in the summer, can't you? You always say it's too hot and turn up air conditioning!

反論はないが、強い別ポイントと強いサポートで30点獲得！

❺ **Lim**

But safety matters most. Since the Fukushima disaster, we've been fully aware that nuclear energy is uncontrollable. When a disaster as serious as the Fukushima occurs, the lives of local people and local economy will be devastated. So we cannot rely on such risky sources of energy for cheaper **electricity bills**.

反論はないが、別のポイントとサポートは共に強く30点

❻ **Brown**

OK, but there are many other dangerous pollutants in our daily life other than radioactive substances. Nobody actually died directly from the Fukushima accident, you know.

反論は論点がズレ、ポイントがないサポートのみで20点

❹ Brown

原子力は低コストであるだけでなく安定した電源です。だから人口急増に苦しむ途上国の多くが原子力を導入しようとしているのです。夏にしょっちゅう停電が起こっても我慢できますか？いつもあなたは暑いからエアコンをもっと効かせてって言いますよね。

❺ Lim

でも、安全が一番重要です。福島の事故を体験して原子力が制御不能だということがわかったはずです。ひとたび福島レベルの事故が起これば、住民の生活や地元経済は破壊されてしまいます。電気代が安くなるからといってそんな危険なエネルギー源に頼るべきではないと思います。

❻ Brown

でも放射性物質以外にも危険な物質はたくさんありますよね。実際、福島の事故が直接原因で亡くなった人はゼロですし。

ダイアローグで英語表現力 *UP!*

☐ **a population surge** （人口急増）

a population upsurge もある。人口爆発（population explosion）とは人口の爆発的な増加のこと。

☐ **electricity bills** （電気料金）

ここで bill は請求書の意味だが、毎月支払う料金の意味で用いられることもある。水道代は water bills、ガス代は gas bills。save on bills（公共料金や通信費を節約する）

❼ Lim

Well, that's true, but someday we could have an even more serious nuclear accident that could **blow a small city apart**.

少しそれた反論で5点

❽ Brown

That's unlikely to happen in the future. Oh, I almost forgot about the greatest advantage of nuclear power generation; it contributes to slowing down global warming as it emits no CO_2. I'm also worried that workers in the nuclear industry will lose their jobs if the government decides to **shut down** nuclear power plants.

弱い反論、トピックすり替えもあるが、強いポイントと弱いサポートで40点

❾ Lim

Yeah, nuclear power generation itself does not emit carbon dioxide, but fossil fuels are necessary to build and operate nuclear power plants. And losing jobs? You don't have to worry about that. Skilled workers will find other jobs in related industries where their **expertise** is needed.

弱い反論が2つで10点

❼ Lim

確かに。でも小さな町を吹き飛ばすくらいのもっと深刻な原子力事故がいつか起きるかもしれません。

❽ Brown

将来そんなことは起こりそうにありません。あっ、原発の重要な利点をひとつ忘れていました。原発は二酸化炭素を出さないから地球温暖化の緩和に貢献できるのです。また、もし政府が原発を廃止すると、原子力産業に関わる人たちが失業してしまうのかもしれないのが心配です。

❾ Lim

そうですね、原発自体は二酸化炭素を出さないけれど、建設と運用には化石燃料が必要です。仕事がなくなる？　それは気にしなくていいと思います。専門技能が必要とされる関連分野で、熟練労働者はすぐに仕事が見つかりますよ。

ダイアローグで英語表現力 *UP!*

□ **blow a small city apart**（小さな町を粉々に吹き飛ばす）

blow ～ off も「破壊して消し去る」。「都市を壊滅させる」の類似表現として、wipe ～ off the map（地図上から消し去る）などがある。

□ **shut down**（停止する）

コンピュータでおなじみになったが、stop の代わりに用いられることも多い。装置を「起動・稼働させる」には、start の他に boot や activate などがある。

□ **expertise**（専門知識・技能、専門家の助言）

原子力人材の供給が止まることで an expertise loss（専門知識の喪失）が懸念されている。

Step 4 ／ アーギュメントをJudge!

いかがでしたか？　今回は、Brown が賛成、Lim が反対の立場でした。それでは英悟の超人 Ichy Ueda による講評を見てみましょう。

▶ 本文 pp. 288 ～、日本語訳 pp. 289 ～

❷ Brown　計20点 ▶▶ 立論10点／サポート10点／減点0点

「反原発派は再生エネルギー使用のコストについては考えない」というポイントは間接的なので、"Use of renewable energy is not cost-effective." と述べる方がベターです。サポートも具体性に欠けているため、それぞれ 10 点で計 20 点。そこで、安全対策や事故率などを挙げ、"Safety standards have been strengthened after the Fukushima disaster. Any technology will be improved after something bad occurs."（福島の事故の後、安全基準が強化された。どんなテクノロジーも悪いことが起こった後に改善される。）などと言うことができます。

❸ Lim　計20点 ▶▶ 反論0点／立論20点／サポート0点

「再生エネルギーは高コスト」への反論として、「もっと自然エネルギーを使えば、コストは下がる」というのは、根拠がないので 0 点。次のポイントである「技術の進歩でコストは下がる」は、サポートがないので立論点のみ 20 点。

❹ Brown　計30点 ▶▶ 立論20点／サポート20点／減点10点

「再生エネルギーのコストが下がるという予測」への反論はないので－ 10 点。しかし「原子力は低コストであるだけでなく安定した電源である」という別の強いポイントを述べているので、20 点ゲット。そして、「人口急増に苦しむ途上国の多くが原子力を導入検討中。夏の停電は暑くて我慢ならない。」と強いサポートを述べているため 20 点。

❺ Lim　計 30 点 ▸▸ 立論 20 点 / サポート 20 点 / 減点 10 点

「原子力の安定電力供給」に関しての反論はありません（反論ルール違反で－10 点）が、別のポイントである「安全であることが最重要」は強いので 20 点、そしてサポートとして福島事故後の地元の生活が壊滅的になったという強い例を挙げているので 20 点。

❻ Brown　計 20 点 ▸▸ 反論 0 点 / 立論 0 点 / サポート 20 点

「放射性物質の危険性」を挙げる Lim に対して、"Radioactive contamination is not such a serious problem."（放射能汚染はそんなに深刻ではない。）と反論すべきところを、「放射性物質以外にも危険な物質はたくさんある」と論点をずらして反論していますので 0 点。別の危険物質は原発とは無関係の議論で、原発支持の有効な理由になりません。Nobody ～で始まる文は「福島の事故が直接原因で亡くなった人はいない」というサポートだけなので 20 点。

❼ Lim　計 5 点 ▸▸ 反論 5 点 / サポート 0 点

「福島の事故が直接原因で亡くなった人はいない」という Brown の論に対して、「死者は出なくても、相当な被害が報告されている」という方向で反論しなければいけないところを、「小さな町を吹き飛ばすくらいの事故がいつか起きるかも」と少しそれたポイントで反論しているので 5 点。

❽ Brown　計 40 点 ▸▸ 反論 10 点 / 立論 20 点 / サポート 10 点

反論では判断だけを述べていて、証明していないので 10 点。別のポイント「二酸化炭素を出さないから温暖化を緩和する」は強いので 20 点ですが、サポートが「CO_2 を出さない」だけなので 10 点。もうひとつ「原子力産業従事者の雇用維持」を追加していますが、これは「原子力発電所維持」のメリットにトピックがすり替えられており、原発自体の根源的なメリットではありませんので 0 点。

❾ Lim　計 10 点 ▸▸ 反論 10 点 / サポート 0 点

「原発は二酸化炭素を排出しない」という点に対する反論で、「化石燃料は原子力発電所建設に必要」は弱いので 5 点、もうひとつの反論も、skilled workers のみにフォーカスして「職はすぐに見つかる」と弱いので 5 点で、計 10 点。

“論点からずれた反論をしないように要注意！”

Step 5 トピック 20 のまとめ

いよいよアーギュメントの結果発表です！

Brown にはやや感情的に原発反対派を見下すような言い回しがありました。Lim にも原発を批判するだけでなく代替案を挙げてほしかったところです。

WIN

Brown
賛成
110点

Lim
反対
65点

「原子力発電」の強いキーアイディアはこれだ！

  賛成	① It provides a stable source of energy. （安定したエネルギー源となる）
	② It is a cost-effective source of energy. （コストパフォーマンスに優れたエネルギー源である）
	③ It will reduce CO_2 emissions. （CO_2 排出量を削減できる）
  反対	① Radioactive waste poses serious threats to the environment. （放射性廃棄物は環境への深刻な脅威となる）
	② It has a potential risk of causing nuclear accidents. （原発事故を引き起こす危険性がある）
	③ Nuclear power plants are subject to terrorist attacks or misuse for nuclear weapon development. （原子力発電所は、テロ攻撃や核兵器開発に悪用される恐れがある）

★★ Semi-Final ★★

Game No.2

結果発表

2つのトピックを通しての、2人の合計得点を見てみましょう。

19 Do the benefits of capitalism outweigh its disadvantages?

115点 VS 60点

20 Do the benefits of nuclear power generation outweigh its disadvantages?

65点 VS 110点

合計

180点  170点

Sofia Lim の勝利!

Final

VS

Sofia Lim

TOPIC

21

核抑止の是非を議論！

Do the benefits of nuclear deterrence outweigh its disadvantages?

TOPIC 21

核抑止の是非を議論！

Do the benefits of nuclear deterrence outweigh its disadvantages?

核戦争抑止に重要か
核軍備競争につながるか？

難易度 ★★★★
論争度 ★★★☆
ジャンル 政治

Step 1 / 背景知識を日本語でInput！

核抑止（nuclear deterrence）とは、対立する国家同士が核兵器の使用をためらう状況を作ることで、壊滅的な影響をもたらす核戦争および全面戦争（an all-out war）を防止するメカニズムのことです。核兵器の破壊力が互いに核兵器を用いることを躊躇させ、戦争を回避することが核抑止だと思われていますが、核兵器の規模、探知能力、国家体制などさまざまな要素が関係しており、理論としてはより複雑です。その中で、アメリカのロバート・マクナマラ（Robert McNamara）が発表した相互確証破壊（Mutual Assured Destruction / MAD）は最も有名な核抑止力理論です。核兵器による先制攻撃（a preemptive attack）を探知して、最初に放たれた核兵器が、攻撃された国に到達する前に反撃できる能力を有する状況でこそ、核抑止力が働くというものです。通常兵器による全面戦争が、核兵器保有国同士である米ソ間で起こらなかったのは相互確証破壊を中心とする核抑止力のためだとする説が有力です。

ところが、テロリストや崩壊寸前の国家に対して核抑止力は有効ではありません。テロリストは中央統制組織を持たないか拠点を分散させているので、いかに破壊的な兵器で攻撃しても壊滅させることは不可能です。また、崩壊寸前の国家の自暴自棄になった独裁者（desperate dictators）は、国民や国家体制の存続を無視して核による攻撃を仕掛けるかもしれません。さらに、核攻撃では炸裂時の爆風だけでなく、広範囲かつ長期間にわたる放射能汚染（nuclear contamination）も問題になるため、核の傘（nuclear umbrella）に入っている同盟国が自国の近くで大量の核兵器を使用することに反対する可能性もあります。

冷戦終結後、核抑止論は影響力を失いつつあるように見えますが、なお米ロやその同盟国では支持されています。2017年に国連で採択され、2021年1月に発効された核兵器禁止条約（The Treaty on the Prohibition of Nuclear Weapons / TPNW）は核抑止を全面的に否定し、完全な核兵器廃絶（a complete ban on nuclear weapons）を目指す条約ですが、核保有国（the nuclear club）や米軍の核の傘下にある諸国（countries under the nuclear umbrella of the US military）が不参加の状態で発効しても効果がないと指摘されています。

Step 2 / 背景知識を英語でInputし、さらに問題意識をUP!

パッセージを読んで、以下の質問について考えてみましょう。
❶ 核抑止とはどのような前提で機能するのでしょうか?
❷ 核抑止が効かない対象は何でしょうか?

Nuclear deterrence is the theory that war could be prevented because potential first users of nuclear weapons fear **annihilating** nuclear **retaliation** and are therefore **deterred from** initiating an attack. This theory is most effective when both parties are sure that they can retaliate against each other just after detecting the enemy's launch of missiles. This situation is called **Mutual Assured Destruction**, or **MAD**. The U.S. and the Soviet Union were deterred from attacking each other based on MAD. But MAD does not apply to terrorists. Now the international community is divided over whether nuclear reductions through **MAD-based negotiations** among **nuclear powers** or the **total ban of nuclear weapons** is better.

日本語訳

核抑止力とは、核兵器を先に用いる国が**壊滅的な**核による**報復**を恐れて、相手を核攻撃することを留まることで戦争が**阻止される**という理論のことです。この理論は、❶相手の核ミサイル発射を探知してからすぐに報復攻撃が可能であることを互いに知っているときに最も有効です。この状況は**相互確証破壊**（**MAD**）と呼ばれます。この相互確証破壊に基づいて米ソは互いを攻撃することを思い留まっていました。しかし❷相互確証破壊はテロリストには当てはまりません。**核保有国**間の**MAD に基づく交渉**を通じ徐々に核を削減するのか、**核兵器を全面禁止**するのかという選択肢をめぐり、国際社会は割れています。

「核抑止」を議論するための表現力を *check!*

- □ **核抑止論** a nuclear deterrence theory
- □ **恐怖の均衡** balance of terror
- □ **相互確証破壊** mutually assured destruction / MAD
- □ **同等の反撃** a retaliatory counterstrike
- □ **核軍備競争** a nuclear arms race
- □ **世界の平和と安定を脅かす** threaten global peace and security
- □ **緊張緩和（デタント）時代** the period of detente
- □ **核兵器備蓄** nuclear weapons stockpile
- □ **核兵器の廃棄** disposal of nuclear weapons
- □ **放射能汚染** radioactive contamination
- □ **「死の灰」** radioactive fallout
- □ **環境悪化** environmental degradation
- □ **冷戦期** the Cold War era

Step 3 ダイアローグ
Do the benefits of nuclear deterrence outweigh its disadvantages?

以下のダイアローグでは、2人の意見のポイントは何か、話が**かみ合ってい るか**、**改善すべき点は何か**、**どちらが強いアーギュメントか**を考えながら読みましょう。

❶ Meyer

Why is Japan reluctant to join the Nuclear Weapon Ban Treaty? As the sole victim of atomic bombings, I think Japan should take the initiative in promoting nuclear disarmament and realizing the nuclear-free world. I'm disappointed that so many countries still believe in nuclear deterrence.

❷ Lim

I understand your frustration, but nuclear deterrence has been effective in the sense that the U.S. and the Soviet Union have never engaged in armed conflicts. They don't fight because they know a first nuclear strike will invite a devastating retaliation. Nuclear deterrence has prevented all-out war between major powers since World War II.

強いポイントと強いサポートを述べ40点ゲット！

❸ Meyer

Well, the Cold War is over. Since the early 1990s, we have been threatened by global terrorism, and no country can wipe out terrorists with nuclear bombs. It's because the deterrence theory doesn't apply to non-state militants.

強い反論を述べているが、サポートが説明不足で30点

日本語訳 核抑止の是非を議論！

❶ Meyer

なぜ日本は核兵器禁止条約に入るのをためらうのでしょうか。日本は唯一の被爆国として、核兵器削減や、「核なき世界」の実現に向けて先手を打ってほしいと思います。多くの国がいまだに核抑止力を信じていることがとても残念です。

❷ Lim

不満もよくわかりますが、アメリカとソ連が一度も軍事衝突を起こさなかったという点で、核抑止は有効であり続けました。核で先制攻撃すれば破滅的な報復を招くことを互いに知っているから、戦争にならないのです。第二次世界大戦以降、核抑止力のおかげで主要国の間で全面戦争は起きていないのです。

❸ Meyer

でも冷戦はもう終わっています。1990年代初頭からはグローバルなテロの脅威にさらされています。核爆弾でテロリストを壊滅させることのできる国はどこにもないですよ。抑止理論は非国家の存在である武装勢力には効かないのです。

Final

❹ Lim

I agree. But that doesn't **rule out** the effectiveness of nuclear deterrence, considering the tensions between the U.S. and its rivals like Russia and China and other countries. Do you believe that if the U.S. abandons all of its **nukes**, Russia and China will follow suit?

反論は強いが、論点がずれたサポートで30点

❺ Meyer

I'm not that optimistic, but I'm afraid nuclear deterrence may not work except in the case of the U.S.-Russia confrontation. Even if North Korea has a few dozen nuclear warheads, the U.S. might attack Pyongyang because North Korea's delivery capabilities are not sophisticated enough to strike the U.S. mainland. Another reason is that developing and maintaining nuclear weaponry costs a great deal of money. It's a sheer waste of money which should be spent on other useful purposes such as social welfare and education.

弱く論点がずれた反論と弱いポイントとサポートで30点

❻ Lim

Conventional weapons are costly, too. Is keeping expensive jet fighters and battleships acceptable to you? And nuclear weapons technology is closely related to the peaceful use of atomic energy. It doesn't make sense to lay down nukes and keep up with the latest nuclear energy technology.

反論のポイントがずれ、別のポイントも関連性が弱く10点

❹ Lim

その通りですね。でも、アメリカとロシアや中国のようなライバル国の間に存在する緊張関係を考えると、テロリストに効かないことが核抑止の有効性を損なうわけではないですね。アメリカが核廃絶すれば、ロシアと中国もそれに倣うと思いますか？

❺ Meyer

そんなに楽観視はしていません。でも米ロ対決以外では核抑止は有効でないかもしれません。北朝鮮が数十発もの核弾頭を保有していてもアメリカは平壌を攻撃するかもしれません。北朝鮮の運搬手段は、アメリカ本土を叩くにはまだ十分に洗練されていませんから。もうひとつの理由として、核兵器の開発と維持には莫大な費用がかかります。全くのお金の無駄遣いで、社会福祉や教育のような他の有益な目的に使うべきです。

❻ Lim

通常の兵器も高額です。高額なジェット戦闘機や戦艦を維持するのはいいのですか？　それに、核兵器の技術は、原子力の平和利用と密接に関連しています。核兵器を放棄しておいて最新の原子力エネルギー技術についていけるというのはあり得ません。

ダイアローグで英語表現力*UP!*

□ **rule out**（除外する、考慮に入れない、阻止する）

rule out the case（その場合を考慮しない）、rule out a military option（軍事的選択はあり得ないとする）

□ **nukes**（核兵器）

核兵器や核武装を表す表現はいろいろある。go nuclear（核保有する）、join the nuclear club（核保有国に加わる）もよく用いられる。

❼ Meyer

I just mean that nuclear deterrence is too costly an approach to maintain world peace. There are many other fields we need to invest in such as education and medical care.

サポートはないため、反論点のみ20点

❽ Lim

Well, it's worth the huge cost if it prevents war. Plus, nuclear-armed countries have more influence on international politics. Look at North Korea. Its economy and conventional army are **in shambles**, but the U.S. hasn't attacked the rogue state, which has often conducted nuclear testing, in fear of nuclear retaliation by North Korea.

強い反論とそれたポイントで20点

“相手の主張のポイントに
ダイレクトに反論しよう！”

❼ Meyer

私はただ、核抑止は世界平和を保つのには値が張るやり方だと言いたいのです。教育とか医療とか、もっとお金を掛けるべき分野が他にたくさんあります。

❽ Lim

戦争を防げるなら、巨額の費用を払う価値がありますよ。それに、核兵器保有国は、国際政治でより大きな影響力を持ちますし。北朝鮮がいい例です。経済も通常軍隊もズタズタだけど、アメリカは北朝鮮に核で反撃されることを恐れて、核実験を行ってきた「ならず者国家」を、攻撃してこなかったのです。

Final

ダイアローグで英語表現力 ***UP!***

□ **in shambles**（ズタズタ状態で）

元は屠畜場を意味した shamble(s) は the economy in shambles（破綻状態の経済）のようにも使う。the ruined economy（破滅した経済状態）

Step 4 アーギュメントをJudge!

いかがでしたか？　今回は、Lim が賛成、Meyer が反対の立場でした。それでは英悟の超人 Ichy Ueda による講評を見てみましょう。

▶ 本文 pp. 304 〜、日本語訳 pp. 305 〜

❷ Lim　計40点　▶▶ 立論20点 / サポート20点

「第二次世界大戦以降、大国間での全面戦争を阻止してきたという点で核抑止は有効」という強いポイントを述べており、20点獲得！　そして、「核攻撃を最初にすれば、壊滅的な報復を招くとわかっているので戦わない」と強いサポートを述べており、20点ゲットです！

❸ Meyer　計30点　▶▶ 反論20点 / サポート10点

「核抑止により、米ソ全面戦争を阻止できた」という賛成派の論には、「冷戦後に世界中で起こっているテロの脅威は、核抑止で抑えることはできない」と強いポイントで反論しており20点。サポートでは「核抑止理論は国家をもたない武装勢力（non-state militants）にはあてはまらないから」と述べていますが、なぜテロリストを核兵器で壊滅させることができないのかを説明していません。有効なサポートですが、説明不足のため10点。ここは、"It is almost impossible to weed out terrorist groups because unlike states, terrorists have no capital cities that a nuclear warhead could wipe out. Religious fanaticism and hatred, none of which nuclear weaponry can crush, continuously produce terrorists."（国家とはちがって、テロリストは核弾頭で壊滅させられる首都を持たないので、壊滅はほぼ不可能だ。核兵器では消せない宗教的な狂信や憎しみは、テロリストを生み続ける。）のように補うと強いアーギュメントになります。

❹ Lim　計30点 ▸▸ 反論20点/サポート10点

「テロリストに核抑止が効かない」という反対派の意見には、「米ロ、米中のようなライバル国家間の緊張関係を考えると、核抑止の有効性は、損なわれているとは言えない」と強く反論しているので20点。「アメリカが核廃絶（abandon all of its nukes）すればロシアと中国もそれに倣う（follow suit）と思うのか？」というサポートでは、「核の廃絶」をポイントにしていますが、ここでは「核攻撃（nuclear attacks）」が論点であり、ポイントが少しずれているため10点。ここは、"if the U.S. abandons all of its nukes, Russia and China will never make a nuke attack or even abandon their nukes?" とすれば、強いサポートになります。

❺ Meyer　計30点 ▸▸ 反論10点/立論10点/サポート10点

「米ロ間以外では核抑止は無効かもしれない」という反論は弱く、10点。サポートで「核保有国の北朝鮮を、アメリカは攻撃する可能性がある」と述べていますが、そもそも「核抑止」の考え方は、「両者が等しい量の核兵器を保有している場合」にのみあてはまるので、圧倒的に優劣の差がある北朝鮮とアメリカの間の核抑止論の有効性を引き合いに出すのは論点がずれており、サポート点は0点となります。別のポイントに、「核兵器開発と維持のコストの高さ」を挙げています。高額な費用は他のトピックでも否定的な立場でよく持ち出されますが、費用は効果とあわせて検討すべきことで、具体的な数字がない場合は効果を否定できないので、敢えて持ち出さない方がよいこともあります。よってこのポイントは10点。サポートでは「福祉・教育など他の目的に使うべき」とありますが、これも数値がなく、具体的検証の材料としては弱いので10点。以下のように、大雑把でも数字を挙げたサポートをすると、説得力が増します。"It is estimated that it costs the U.S. more than 20 billion dollars per year to maintain its nuclear arsenal. Such a huge amount of public funds could be spent on scholarships for tens of thousands of university students."（アメリカは核兵器の維持に年200億ドルほど支出しているとの試算があります。この金額で何万人もの大学生に奨学金を出すことができるでしょう。）

❻ Lim　計10点 ▸▸ 反論0点／立論10点／サポート0点

“Conventional weapons are costly, too.” と反論していますが、使うことが可能な通常兵器と、人類を破滅させるため実際には使えない核兵器を同様に比較して costly というのは、ポイントがずれており0点。また、「核兵器技術が原子力の平和利用と密接な関連がある」というポイントですが、核兵器の保有は核の平和利用の必要条件ではないため、関連性が弱く、10点。原子力の平和利用にどのように役立っているのか、具体例によるサポートもありません。サポートとしては、“Since both the peaceful use of nuclear power and nuclear weaponry is based on common technologies such as uranium enrichment, the abolition of nuclear weapons may impair the development of nuclear technology.”（核の平和利用も核兵器もウラン濃縮などの共通技術を用いるので、核兵器を廃絶すると原子力技術の発達に悪影響が出る。）などと述べることができます。

❼ Meyer　計20点 ▸▸ 反論20点／サポート0点／立論0点

「核抑止は世界平和を保つのには値が張るやり方だ」と反論しています（20点）が、サポートは依然としてありません。“There are ～ ” の次のポイントも ❺ Meyer のポイント「コストがかかる」を繰り返しているだけなので、加点はありません。

❽ Lim　計20点 ▸▸ 反論20点／サポート0点／立論0点

「金の無駄」という反対派の論に「戦争を防げるなら巨額の費用を払う価値がある」と反論しているので20点。また「核保有国は国際政治で影響力がある」や「北朝鮮は核を持っていることで国際政治で有利な立場に立っている」という別ポイントは、「核の戦争抑止」というトピックからはそれており、0点。

☆他の反対論に、「**自動化された反撃システムの誤作動の危険性**」や、「**環境への悪影響**」があります。環境への影響は原子力技術全体に反対する根拠になるので、核抑止論への反論としては最後に繰り出すべきでしょう。

Step 5 ／ トピック 21 のまとめ

いよいよアーギュメントの結果発表です！

WIN

VS

Meyer
反対
80点

「核抑止力」の強いキーアイディアはこれだ！

賛成 	① It can prevent wars among nuclear powers. （核保有国同士の戦争を防ぐことができる）
反対  	① It can lead to a nuclear arms race. （核軍備競争につながる）
	② The presence of nuclear weapons leads to environmental degradation. （核兵器の存在は環境悪化につながる）
	③ It is extremely costly to create and maintain nuclear weapons. （核兵器の製造と維持には莫大な費用がかかる）
	④ It is ineffective against terrorist organizations. （テロリスト組織には効果がない）

★★★ **Final** ★★★

結果発表

いよいよアーギュメントチャンピオンの発表です！

21 Do the benefits of nuclear deterrence outweigh its disadvantages?

合計

80 点

100 点

＼優勝／

Sofia Lim

議論のための表現力 UP ⑥「重要である」

☐ **play a key/vital/pivotal role in ~**（~に重要な役割を果たす）

ポイント play a major (leading/active) role なら「主要（積極的）な役割を果たす」

The tax plays a vital role in providing the stable public services.
（税金は安定した公共サービスの提供に重要な役割を果たしている）

☐ **outweigh**（~を上回る、勝る） ポイント 両者を比較し、一方の重要性や有益性や価値を認める

The benefits of consumption tax hike outweigh its disadvantages.
（消費税の値上げのメリットはデメリット上回る）

☐ **prioritize**（~を優先する） ポイント 項目に優先順位をつける時に使う

The government should prioritize economic reconstruction.
（政府は経済復興を優先すべきだ）

★名詞形の priority（優先事項）も必須表現！

Reconstructing the government finances is our top priority.
（財政再建が最優先である）

Final

トーナメント表　最終結果

First Round Game 1		
	No.	Topic
Kim Yuri VS Lina Devi	1	同性婚法制化の是非を議論！
	2	クローン技術の是非を議論！
	3	代替医療の是非を議論！
	4	安楽死の是非を議論！

WIN 勝者 Lina Devi

First Round Game 2		
	No.	Topic
Leon Meyer VS Benjamin Laine	5	動物実験の是非を議論！
	6	AI の是非を議論！
	7	人種差別撤廃の可能性を議論！
	8	移民規制の是非を議論！

WIN 勝者 Leon Meyer

First Round Game 3		
	No.	Topic
Sofia Lim VS Mario Rosi	9	SNS の是非を議論！
	10	宇宙開発の是非を議論！
	11	エコツーリズムの是非を議論！
	12	グローバル化の是非を議論！

WIN 勝者 Sofia Lim

First Round Game 4		
	No.	Topic
叡智先見 VS Olivia Brown	13	学校制服の是非を議論！
	14	少年犯罪のメディア公表の是非を議論！
	15	定年退職制の是非を議論！
	16	死刑制度の是非を議論！

WIN 勝者 Olivia Brown

Semi-Final Game 1	
No.	Topic
17	大きな政府の是非を議論！
18	消費税増税の是非を議論！

Final	
No.	Topic
21	核抑止の是非を議論！

Semi-Final Game 1	
No.	Topic
19	資本主義の是非を議論！
20	原子力発電の是非を議論！

植田 一三（うえだ・いちぞう）編著

年齢・ジェンダー・国籍を超える英悟の超人（amortal philosophartist)。次代をリードする英語の最高峰資格 8 冠突破・英才教育＆英語教育書ライター養成校「アクエアリーズ」学長。英語の勉強を通して、キャリア UP、自己実現、社会貢献を目指す「英悟道」精神、Let's enjoy the process!（陽は必ず昇る）をモットーに、38 年間の指導歴で、英検 1 級合格者を約 2,500 名、英語資格 5 冠（英検 1 級・通訳案内士・TOEIC 980 点・国連英検特 A 級・工業英検 1 級）突破者を 125 名以上育てる。日本で 15 年間、英悟道を極めた後、39 歳でノースウェスタン大学院修士課程、テキサス大学博士課程コミュニケーション学部に留学して視野を広げ、人間力を鍛え、同大学で異文化コミュニケーション学を指導。著書は英語・中国語・韓国語・日本語学習書と多岐にわたって 100 冊を超え、その多くはアジア 5 カ国で翻訳されている。

中坂 あき子（なかさか・あきこ）著

アクエアリーズ英語教育書＆教材制作・翻訳部門の主力メンバー。英検 1 級を取得。トロント大学に留学後、名門府立高校で 22 年間、英語講師を務めると同時に、アクエアリーズで英検 1 級、工業英検 1 級講座などの教材制作を担当。美学と音楽に造詣が深く、高い芸術性を教材作りとティーチングに活かした新時代のエジュケーショナルアーチスト。主な著書に『英語ライティング 至高のテクニック 36』『日本人についての質問に論理的に答える発信型英語トレーニング』『Take a Stance』『スーパーレベル類語使い分けマップ』がある。

矢島 宏紀（やじま・ひろき）著

昭和女子大学国際学部特命講師。東京大学、明治大学非常勤講師。東京大学文学部英文科卒、同大学院総合文化研究科修士課程修了、コネティカット大学大学院修士課程修了。専門はアメリカ史。予備校等で大学受験英語講師、大手英会話学校で TOEFL、TOEIC 等の講師を務める。アクエアリーズの工業英検 1 級、国連英検特 A 級、英検 1 級の対策講座元講師。『英語で説明する人文科学』（語研）等の執筆に協力。アメリカ史の研究と教育に加えて、英語教育にも情熱を注いでいる。

上田 敏子（うえだ・としこ）著

アクエアリーズ英検 1 級・国連英検特 A 級・IELTS 講座講師。バーミンガム大学院修了（優秀賞）後、ケンブリッジ大学で国際関係論コース修了。日本最高峰資格、国連英検特 A 級・工業英検 1 級（文部科学大臣賞）・英検 1 級・TOEIC 満点・通訳案内士資格取得。鋭い異文化洞察と芸術的鑑識眼を備え、英語教育を通して人類の未来を切り開く英語教育界のワンダーウーマン。主な著書に『世界の経済・政治・社会問題の知識と英語を身につける』『英語で経済・政治・社会を討論する技術と表現』『英検ライティング大特訓シリーズ』『英検面接大特訓シリーズ』がある。

本書に関するお問い合わせは下記までお願いします。

アスクユーザーサポートセンター　support@ask-digital.co.jp

Web サイト　https://ask-books.com/support/

英語の議論を極める本

2021年12月1日　初版　第1刷発行

編著者　植田一三

著者　中坂あき子　矢島宏紀　上田敏子

発行人　天谷修身

デザイン　岡崎裕樹

イラスト　ヨギトモコ

DTP　株式会社新後閑

発行所　株式会社アスク出版
162-8558 東京都新宿区下宮比町 2-6
電話 03-3267-6864　FAX 03-3267-6867
https://www.ask-books.com/

印刷・製本　情報印刷株式会社

ISBN　978-4-86639-439-8　Printed in Japan